Simone Weil

Pensées sans ordre concernant l'amour de Dieu

et autres textes

Gallimard

Ces textes sont extraits de
Pensées sans ordre concernant l'amour de Dieu
(collection Espoir, Éditions Gallimard, 1962).

Simone Weil naît à Paris en 1909. Élève d'Alain au lycée Henri-IV, normalienne puis agrégée de philosophie en 1931, elle enseigne quelques années avant de faire le choix de travailler en usine, souhaitant éprouver de l'intérieur la « condition ouvrière », et ses forces d'aliénation et d'épuisement des corps et des âmes, qu'elle placera au cœur de sa pensée. Plume pour la revue *La Critique sociale* ou encore *La Révolution prolétarienne*, elle s'engage en 1936 dans la guerre d'Espagne avec les républicains au sein des Brigades internationales. Paris devenue « ville ouverte », en 1940, Simone Weil part, avec sa famille, à Marseille. Elle y est résistante avant de s'exiler aux États-Unis puis de rejoindre, à la fin de l'année 1942, à Londres, la « France Libre » (renommée « France combattante » en juillet) du général de Gaulle. C'est durant ces quelques mois qu'elle écrit plusieurs textes pour la France d'après-guerre parmi lesquels *Étude pour une déclaration des obligations envers l'être humain*. Elle souhaite, sans qu'on l'y autorise, rejoindre alors la résistance intérieure du pays. Souffrant de la tuberculose, elle se prive de soins et meurt à Ashford, dans le Kent, en 1943, à l'âge de trente-quatre ans.

Parmi ses œuvres, toutes posthumes : *La pesanteur et la grâce* (1947), *L'enracinement* (1950), *Lettre à un religieux* et *La condition ouvrière* (1951), *La source grecque* (1953) ou encore *Oppression et Liberté* (1955). Sa quête de la vérité et son attention, inlassable, aux « besoins de l'âme » irriguent tous ses écrits, que traversent encore une foi essentielle (juive, elle se tourne sans se convertir vers la foi chrétienne, s'ouvrant à un « amour du Christ » et déployant une pensée de la « grâce ») et un hellénisme érudit (dont témoignent exemplairement ses références platoniciennes).

Lisez ou relisez les livres de Simone Weil en Folio :

L'ENRACINEMENT (Folio essais n° 141)

RÉFLEXIONS SUR LES CAUSES DE LA LIBERTÉ ET DE L'OPPRESSION SOCIALE (Folio essais n° 316)

LA CONDITION OUVRIÈRE (Folio essais n° 409)

LES BESOINS DE L'ÂME (Folioplus philosophie n° 96)

ÉTUDE POUR UNE DÉCLARATION DES OBLIGATIONS ENVERS L'ÊTRE HUMAIN *et autres textes* (Folio sagesses n° 6903)

*Pensées sans ordre
concernant l'amour de Dieu*

Il ne dépend pas de nous de croire en Dieu, mais seulement de ne pas accorder notre amour à de faux dieux. Premièrement, ne pas croire que l'avenir soit le lieu du bien capable de combler. L'avenir est fait de la même substance que le présent. On sait bien que ce qu'on a en fait de bien, richesse, pouvoir, considération, connaissances, amour de ceux qu'on aime, prospérité de ceux qu'on aime, et ainsi de suite, ne suffit pas à satisfaire. Mais on croit que le jour où on en aura un peu plus on sera satisfait. On le croit parce qu'on se ment à soi-même. Car si on y pense vraiment quelques instants on sait que c'est faux. Ou encore si on souffre du fait de la maladie, de la misère ou du malheur, on croit que le jour où cette souffrance cessera on sera satisfait. Là encore, on sait que c'est faux ; que dès qu'on s'est habitué à la cessation de la souffrance on veut autre chose. Deuxièmement, ne pas confondre le besoin avec le bien. Il y a quantité de choses dont on croit avoir besoin pour vivre. Souvent c'est faux, car on survivrait à leur perte. Mais même si c'est vrai, si leur perte peut faire mourir ou du moins détruire l'énergie vitale, elles ne sont pas pour cela des biens. Car personne n'est satisfait longtemps de vivre purement et simplement. On veut toujours autre chose. On veut vivre pour quelque chose. Il suffit de ne pas se mentir pour savoir qu'il n'y a rien ici-bas pour quoi on puisse vivre. Il suffit de se représenter tous ses désirs satisfaits. Au bout de quelque temps, on serait insatisfait. On voudrait autre chose, et on serait malheureux de ne pas savoir quoi vouloir.

Il dépend de chacun de garder l'attention fixée sur cette vérité.

Par exemple les révolutionnaires, s'ils ne se mentaient pas, sauraient que l'accomplissement de la révolution les rendrait malheureux, parce qu'ils y perdraient leur raison de vivre. De même pour tous les désirs.

La vie telle qu'elle est faite aux hommes n'est supportable que par le mensonge. Ceux qui refusent le mensonge et préfèrent savoir que la vie est intolérable, sans pourtant se révolter contre le sort, finissent par recevoir du dehors, d'un lieu situé hors du temps, quelque chose qui permet d'accepter la vie telle qu'elle est.

Tout le monde sent le mal, en a horreur et voudrait s'en délivrer. Le mal n'est ni la souffrance ni le péché, c'est l'un et l'autre à la fois, quelque chose de commun à l'un et à l'autre ; car ils sont liés, le péché fait souffrir et la souffrance rend mauvais, et ce mélange indissoluble de souffrance et de péché est le mal où nous sommes malgré nous et où nous avons horreur de nous trouver.

Le mal qui est en nous, nous en transportons une partie sur les objets de notre attention et de notre désir. Et ils nous le renvoient comme si ce mal venait d'eux. C'est pour cela que nous prenons en haine et en dégoût les lieux dans lesquels nous nous trouvons submergés par le mal. Il nous semble que ces lieux mêmes nous emprisonnent dans le mal. C'est ainsi que les malades prennent en haine leur chambre et leur entourage, même si cet entourage est fait d'êtres aimés, que les ouvriers prennent parfois en haine leur usine, et ainsi de suite.

Mais si par l'attention et le désir nous transportons une partie de notre mal sur une chose parfaitement pure, elle ne peut pas en être souillée ; elle reste pure ; elle ne nous renvoie pas ce mal ; ainsi nous en sommes délivrés.

Nous sommes des êtres finis ; le mal qui est

en nous est aussi fini ; ainsi au cas où la vie humaine durerait assez longtemps, nous serions tout à fait sûrs par ce moyen de finir par être un jour, dans ce monde même, délivrés de tout mal.

Les paroles qui composent le *Pater* sont parfaitement pures. Si on récite le *Pater* sans aucune autre intention que de porter sur ces paroles mêmes la plénitude de l'attention dont on est capable, on est tout à fait sûr d'être délivré par ce moyen d'une partie, si petite soit-elle, du mal qu'on porte en soi. De même si on regarde le Saint-Sacrement sans aucune autre pensée, sinon que le Christ est là ; et ainsi de suite.

Il n'y a de pur ici-bas que les objets et les textes sacrés, la beauté de la nature si on la regarde pour elle-même et non pas pour y loger ses rêveries, et, à un degré moindre, les êtres humains en qui Dieu habite et les œuvres d'art issues d'une inspiration divine.

Ce qui est parfaitement pur ne peut pas être autre chose que Dieu présent ici-bas. Si c'était autre chose que Dieu, cela ne serait pas pur. Si Dieu n'était pas présent, nous ne pourrions jamais être sauvés. Dans l'âme où s'est produit un tel contact avec la pureté, toute l'horreur du mal qu'elle porte en soi se change en amour pour la pureté divine. C'est ainsi que Marie-Madeleine et le bon larron ont été des privilégiés de l'amour.

Le seul obstacle à cette transmutation de l'horreur en amour, c'est l'amour-propre qui rend pénible l'opération par laquelle on porte sa souillure au contact de la pureté. On ne peut en triompher que si on a une espèce d'indifférence à l'égard de sa propre souillure, si on est capable d'être heureux, sans retour sur soi-même, à la pensée qu'il existe quelque chose de pur.

Le contact avec la pureté produit une transformation dans le mal. Le mélange indissoluble de la souffrance et du péché ne peut être dissocié que par lui. Par ce contact, peu à peu la souffrance cesse d'être mélangée de péché ; d'autre part le péché se transforme en simple souffrance. Cette opération surnaturelle est ce qu'on nomme le repentir. Le mal qu'on porte en soi est alors comme éclairé par de la joie.

Il a suffi qu'un être parfaitement pur se trouve présent sur terre pour qu'il ait été l'agneau divin qui enlève le péché du monde, et pour que la plus grande partie possible du mal diffus autour de lui se soit concentrée sur lui sous forme de souffrance.

Il a laissé comme souvenir de lui des choses parfaitement pures, c'est-à-dire où il se trouve présent ; car autrement leur pureté s'épuiserait à force d'être au contact du mal.

Mais on n'est pas continuellement dans les églises, et il est particulièrement désirable que cette opération surnaturelle du transport du mal hors de soi puisse s'accomplir dans les lieux de la vie quotidienne et particulièrement sur les lieux du travail.

Cela n'est possible que par un symbolisme permettant de lire les vérités divines dans les circonstances de la vie quotidienne et du travail comme on lit dans les lettres des phrases écrites qui les expriment. Il faut pour cela que les symboles ne soient pas arbitraires, mais qu'ils se trouvent écrits, par l'effet d'une disposition providentielle, dans la nature même des choses. Les paraboles de l'Évangile donnent l'exemple de ce symbolisme.

En fait il y a analogie entre les rapports mécaniques qui constituent l'ordre du monde sensible et les vérités divines. La pesanteur qui gouverne entièrement sur terre les mouvements de la matière est l'image de l'attachement charnel qui gouverne les tendances de notre âme. La seule puissance capable de vaincre la pesanteur est l'énergie solaire. C'est cette énergie descendue sur terre dans les plantes et reçue par elles qui leur permet de pousser verticalement de bas en haut. Par l'acte de manger elle pénètre dans les animaux et en nous ; elle seule nous permet de nous tenir debout et de soulever des fardeaux. Toutes les sources d'énergie mécanique, cours d'eau, houille, et très probablement pétrole, vien-

nent d'elle également ; c'est le soleil qui fait tourner nos moteurs, qui soulève nos avions, comme
c'est lui aussi qui soulève les oiseaux. Cette énergie solaire, nous ne pouvons pas aller la chercher,
nous pouvons seulement la recevoir. C'est elle qui
descend. Elle entre dans les plantes, elle est avec
la graine ensevelie sous terre, dans les ténèbres,
et c'est là qu'elle a la plénitude de la fécondité
et suscite le mouvement de bas en haut qui fait
jaillir le blé ou l'arbre. Même dans un arbre mort,
dans une poutre, c'est elle encore qui maintient
la ligne verticale ; avec elle nous bâtissons nos
demeures. Elle est l'image de la grâce, qui descend s'ensevelir dans les ténèbres de nos âmes
mauvaises et y constitue la seule source d'énergie qui fasse contrepoids à la pesanteur morale,
à la tendance au mal.

Le travail du cultivateur ne consiste pas à
aller chercher l'énergie solaire ni même à la capter, mais à tout aménager de manière que les
plantes capables de la capter et de nous la trans-
mettre la reçoivent dans les meilleures conditions possibles. L'effort qu'il fournit dans ce
travail ne vient pas de lui, mais de l'énergie qu'a
mise en lui la nourriture, c'est-à-dire cette même
énergie solaire enfermée dans les plantes et la
chair des animaux nourris de plantes. De même
nous ne pouvons pas faire d'autre effort vers
le bien que de disposer notre âme à recevoir

la grâce, et l'énergie nécessaire à cet effort nous est fournie par la grâce.

Un cultivateur est perpétuellement comme un acteur qui jouerait un rôle dans un drame sacré représentant les rapports de Dieu et de la création.

Ce n'est pas seulement la source de l'énergie solaire qui est inaccessible à l'homme, mais aussi le pouvoir qui transforme cette énergie en nourriture. La science moderne regarde la substance végétale qu'on nomme chlorophylle comme étant le siège de ce pouvoir ; l'antiquité disait sève au lieu de chlorophylle, ce qui revient au même. Comme le soleil est image de Dieu, de même la sève végétale qui capte l'énergie solaire, qui fait monter les plantes et les arbres tout droit contre la pesanteur, qui s'offre à nous pour être broyée et détruite en nous et entretenir notre vie, cette sève est une image du Fils, du Médiateur. Tout le travail du cultivateur consiste à servir cette image.

Il faut qu'une telle poésie entoure le travail des champs d'une lumière d'éternité. Autrement il est d'une monotonie qui conduirait facilement à l'abrutissement, au désespoir ou à la recherche des satisfactions les plus grossières ; car le manque de finalité qui est le malheur de toute condition humaine s'y montre trop visiblement. L'homme s'épuise au travail pour manger, il mange pour avoir la force de travailler, et après un an de peine tout est exactement comme au point de départ. Il travaille en cercle. La monotonie n'est supportable à l'homme que par un éclairage divin. Mais par cette raison même une vie monotone est bien plus favorable au salut.

*Réflexions sans ordre
sur l'amour de Dieu*

Notre être même, à chaque instant, a pour étoffe, pour substance, l'amour que Dieu nous porte. L'amour créateur de Dieu qui nous tient dans l'existence n'est pas seulement surabondance de générosité. Il est aussi renoncement, sacrifice. Ce n'est pas seulement la Passion, c'est la Création elle-même qui est renoncement et sacrifice de la part de Dieu. La Passion n'en est que l'achèvement. Déjà comme Créateur Dieu se vide de sa divinité. Il prend la forme d'un esclave. Il se soumet à la nécessité. Il s'abaisse. Son amour maintient dans l'existence, dans une existence libre et autonome, des êtres autres que lui, autres que le bien, des êtres médiocres. Par amour il les abandonne au malheur et au péché. Car s'il ne les abandonnait pas, ils ne seraient pas. Sa présence leur ôterait l'être comme la flamme tue un papillon.

La religion enseigne que Dieu a créé les êtres finis à des degrés différents de médiocrité. Nous constatons que nous autres humains nous sommes à la limite, l'extrême limite au-delà de laquelle il n'est plus possible de concevoir ni d'aimer Dieu. Au-dessous de nous il n'y a que les animaux. Nous sommes aussi médiocres, aussi loin de Dieu qu'une créature raisonnable peut l'être. C'est un grand privilège. C'est pour nous que Dieu doit faire le plus long chemin s'il veut aller jusqu'à nous. Quand il a pris, conquis, transformé nos cœurs, c'est nous qui avons le plus long chemin à faire pour aller à notre tour jusqu'à lui. L'amour est proportionnel à la distance.

C'est par un amour inconcevable que Dieu a créé des êtres tellement distants de lui. C'est par un amour inconcevable qu'il descend jusqu'à eux. C'est par un amour inconcevable qu'eux ensuite montent jusqu'à lui. Le même amour. Ils ne peuvent monter que par l'amour que Dieu a mis en eux quand il est allé les chercher. Et cet amour est le même par lequel il les a créés si loin de lui. La Passion n'est pas séparable de la Création. La Création elle-même est une espèce de passion. Mon existence elle-même est comme un déchirement de Dieu, un déchirement qui est amour. Plus je suis médiocre, plus éclate l'immensité de l'amour qui me maintient dans l'existence.

Le mal que nous voyons partout dans le monde

sous forme de malheur et de crime est un signe de la distance où nous sommes de Dieu. Mais cette distance est amour et par suite doit être aimée. Ce n'est pas qu'il faille aimer le mal. Mais il faut aimer Dieu à travers le mal. Quand un enfant en jouant brise un objet précieux, la mère n'aime pas cette destruction. Mais si plus tard son fils s'en va au loin ou meurt, elle pense à cet accident avec une tendresse infinie parce qu'elle n'y voit plus qu'une des manifestations de l'existence de son enfant. C'est de cette manière qu'à travers toutes les choses bonnes et mauvaises, indistinctement, nous devons aimer Dieu. Tant que nous aimons seulement à travers le bien, ce n'est pas Dieu que nous aimons, c'est quelque chose de terrestre que nous nommons du même nom. Il ne faut pas essayer de réduire le mal au bien en cherchant des compensations, des justifications au mal. Il faut aimer Dieu à travers le mal qui se produit, uniquement parce que tout ce qui se produit est réel, et que derrière toute réalité il y a Dieu. Certaines réalités sont plus ou moins transparentes ; d'autres sont tout à fait opaques ; mais derrière toutes indistinctement il y a Dieu. Notre affaire est seulement d'avoir le regard tourné dans la direction du point où il se trouve, soit que nous puissions ou non l'apercevoir. S'il n'y avait aucune réalité transparente, nous n'aurions aucune idée de Dieu. Mais si toutes les réalités étaient transparentes, nous n'aimerions que la sensation de la lumière et non pas Dieu. Quand nous ne le voyons pas, quand la réalité de Dieu n'est rendue sensible à aucune partie de notre âme, alors, pour aimer Dieu, il faut vraiment se transporter hors de soi. C'est cela aimer Dieu.

Pour cela il faut avoir constamment le regard tourné vers Dieu, sans jamais bouger. Autrement comment connaîtrions-nous la bonne direction quand un écran opaque s'interpose entre la lumière et nous ? Il faut être tout à fait immobile.

Rester immobile ne veut pas dire s'abstenir d'action. Il s'agit d'immobilité spirituelle, non matérielle. Mais il ne faut pas agir, ni d'ailleurs s'abstenir d'agir, par volonté propre. Il faut faire seulement en premier lieu ce à quoi on est contraint par une obligation stricte, puis ce qu'on pense honnêtement nous être commandé par Dieu ; enfin, s'il reste un domaine indéterminé, ce à quoi une inclination naturelle nous pousse, à condition qu'il ne s'agisse de rien d'illégitime. Il ne faut faire d'effort de volonté dans le domaine de l'action que pour remplir les obligations strictes. Les actes qui procèdent de l'inclination ne constituent évidemment pas des efforts. Quant aux actes d'obéissance à Dieu, on y est passif ; quelles que soient les peines qui les accompagnent, ils n'exigent pas d'effort à proprement parler, pas d'effort actif, mais plutôt la patience, la capacité de supporter et de souffrir. La crucifixion du Christ en est le modèle. Même si, vu du dehors, un acte d'obéissance semble s'accompagner d'un grand déploiement d'activité, il n'y a en réalité au-dedans de l'âme que souffrance passive.

Il y a un effort à faire qui est de loin le plus dur de tous, mais il n'est pas du domaine de l'action. C'est de tenir le regard dirigé vers Dieu, de le ramener quand il s'est écarté, de l'appliquer par moments avec toute l'intensité dont on dispose. Cela est très dur parce que toute la partie médiocre de nous-mêmes, qui est presque tout nous-mêmes, qui est nous-mêmes, qui est ce que nous nommons notre moi, se sent condamnée à mort par cette application du regard sur Dieu. Et elle ne veut pas mourir. Elle se révolte. Elle fabrique tous les mensonges susceptibles de détourner le regard.

Un de ces mensonges, ce sont les faux dieux qu'on nomme Dieu. On peut croire qu'on pense à Dieu alors qu'en réalité on aime certains êtres humains qui nous ont parlé de lui, ou un certain milieu social, ou certaines habitudes de vie, ou une certaine paix de l'âme, une certaine source de joie sensible, d'espérance, de réconfort, de consolation. En pareil cas la partie médiocre de l'âme est en complète sécurité ; la prière même ne la menace pas.

Un autre mensonge, c'est le plaisir et la douleur. Nous savons très bien que certaines omissions ou certaines actions causées par l'attrait du plaisir ou la crainte de la douleur nous forçent à détourner le regard de Dieu. Quand nous nous y laissons aller, nous croyons avoir été vaincus par le plaisir ou la douleur ; mais c'est très souvent une illusion. Très souvent le plaisir et la douleur sensibles sont seulement un prétexte que prend la partie médiocre de nous-mêmes pour nous détourner de Dieu. Par eux-mêmes ils ne sont pas si puissants. Il n'est pas si difficile de renoncer à un plaisir même enivrant, de se soumettre à une douleur même violente. On le voit faire quotidiennement par des gens très médiocres. Mais il est infiniment difficile de renoncer même à un très léger plaisir, de s'exposer même à une très légère peine, seulement pour Dieu ; pour le vrai Dieu, pour celui qui est dans les cieux et non pas ailleurs. Car quand on le fait, ce n'est pas à la souffrance qu'on va, c'est à la mort. Une mort plus radicale que la mort charnelle et qui fait pareillement horreur à la nature. La mort de ce qui en nous dit « je ».

Quelquefois la chair nous détourne de Dieu, mais souvent, quand nous croyons que les choses se passent ainsi, c'est en réalité le contraire qui se produit. L'âme incapable de supporter cette présence meurtrière de Dieu, cette brûlure, se réfugie derrière la chair, prend la chair comme écran. En ce cas, ce n'est pas la chair qui fait oublier Dieu, c'est l'âme qui cherche l'oubli de Dieu dans la chair, qui s'y cache. Il n'y a pas alors défaillance, mais trahison, et la tentation d'une telle trahison est toujours là tant que la partie médiocre de l'âme l'emporte de beaucoup sur la partie pure. Des fautes en elles-mêmes très légères peuvent constituer une telle trahison ; elles sont alors infiniment plus graves que des fautes en elles-mêmes très graves causées par une défaillance. On évite la trahison, non par un effort, par une violence contre soi-même, mais par un simple choix. Il suffit de regarder comme étrangère et ennemie la partie de nous-mêmes qui veut se cacher de Dieu, même si elle est presque tout nous-mêmes, si elle est nous-mêmes. Il faut prononcer en soi-même perpétuellement une parole d'adhésion à la partie de nous-mêmes qui réclame Dieu, même quand elle n'est encore qu'un infiniment petit. Cet infiniment petit, tant que nous y adhérons, croît d'une croissance exponentielle, selon une progression géométrique analogue à la série 2, 4, 8, 16, 32, etc., comme fait une graine, et cela sans que nous y soyons pour rien. Nous pouvons arrêter cette croissance en lui refusant notre adhésion, la ralentir en négligeant d'user de la volonté contre les mouvements désordonnés de la partie charnelle de l'âme. Mais néanmoins cette croissance, quand elle s'opère, s'opère en nous sans nous.

L'effort mal placé vers le bien, vers Dieu, est encore un piège, un mensonge de la partie médiocre de nous-mêmes qui cherche à éviter la mort. Il est très difficile de comprendre que c'est un mensonge, et c'est pourquoi il est très dangereux. Tout se passe comme si la partie médiocre de nous-mêmes en savait beaucoup plus que nous sur les conditions du salut, et c'est ce qui force à admettre quelque chose comme le démon. Il y a des gens qui cherchent Dieu à la manière de quelqu'un qui sauterait à pieds joints dans l'espoir qu'à force de sauter toujours un peu plus haut il finira un jour par ne plus retomber, par monter jusqu'au ciel. Cet espoir est vain. Dans le conte de Grimm intitulé *Le Vaillant petit Tailleur*, il y a un concours de force entre le petit tailleur et un géant. Le géant lance une pierre en haut, si haut qu'elle met très, très longtemps avant de retomber. Le petit tailleur, qui a un oiseau dans sa poche, dit qu'il peut faire beaucoup mieux, que les pierres qu'il lance ne retombent pas ; et il lâche son oiseau. Ce qui n'a pas d'ailes finit toujours par retomber. Les gens qui sautent à pieds joints vers le ciel, absorbés par cet effort musculaire, ne regardent pas le ciel. Et le regard est la seule chose efficace en cette matière. Car il fait descendre Dieu. Et quand Dieu est descendu jusqu'à nous, il nous soulève, il nous met des ailes. Nos efforts musculaires n'ont d'efficacité et d'usage légitime que pour écarter, pour mater tout ce qui nous empêche de regarder ; c'est un usage négatif. La partie de l'âme capable de regarder Dieu est entourée de chiens qui aboient, mordent et dérangent tout. Il faut prendre un fouet pour les dresser. Rien n'interdit d'ailleurs, quand on le peut, d'employer pour ce dressage des morceaux de sucre. Que ce soit par le fouet ou le sucre — en fait on a besoin des deux, en proportion variable selon les tempéraments — l'important est de dresser ces chiens, de les contraindre à l'immobilité et au silence. Ce dressage est une condition de l'ascension spirituelle, mais par lui-même il ne constitue pas une force ascendante. Dieu seul est la force ascendante, et il vient quand on le regarde. Le regarder, cela veut dire l'aimer. Il n'y a pas d'autre relation entre l'homme et Dieu que l'amour. Mais notre amour pour Dieu doit être comme l'amour de la femme pour l'homme, qui n'ose s'exprimer par aucune avance, qui est seulement attente. Dieu est l'Époux, et c'est à l'époux à venir vers celle qu'il a choisie, à lui parler, à l'emmener. La future épouse doit seulement attendre.

Le mot de Pascal « Tu ne me chercherais pas si tu ne m'avais trouvé » n'est pas la véritable expression des rapports entre l'homme et Dieu. Platon est bien plus profond quand il dit : « Se détourner de ce qui passe avec toute l'âme ». L'homme n'a pas à chercher, ni même à croire en Dieu. Il doit seulement refuser son amour à tout ce qui est autre que Dieu. Ce refus ne suppose aucune croyance. Il suffit de constater ce qui est une évidence pour tout esprit, c'est que tous les biens d'ici-bas, passés, présents ou futurs, réels ou imaginaires, sont finis et limités, radicalement incapables de satisfaire le désir d'un bien infini et parfait qui brûle perpétuellement en nous. Cela, tous le savent et se l'avouent plusieurs fois en leur vie, un instant, mais aussitôt ils se mentent afin de ne plus le savoir, parce qu'ils sentent que s'ils le savaient ils ne pourraient plus vivre. Et ce sentiment est juste, cette connaissance tue, mais elle inflige une mort qui conduit à une résurrection. Cela, on ne le sait pas d'avance, on pressent seulement la mort ; il faut choisir entre la vérité et la mort ou le mensonge et la vie. Si on fait le premier choix, si on s'y tient, si on persiste indéfiniment à refuser de mettre tout son amour dans les choses qui n'en sont pas dignes, c'est-à-dire dans toutes les choses d'ici-bas sans exception, cela suffit. Il n'y a pas de question à se poser, de recherche à faire. Si un homme persiste dans ce refus, un jour ou l'autre Dieu viendra à lui. Comme Électre pour Oreste, il verra, entendra, étreindra Dieu, il aura la certitude d'une réalité irrécusable. Il ne deviendra pas par là incapable de douter ; l'esprit humain a toujours la capacité et le devoir de douter ; mais le doute indéfiniment prolongé détruit la certitude illusoire des choses incertaines et confirme la certitude des choses certaines. Le doute concernant la réalité de Dieu est un doute abstrait et verbal pour quiconque a été saisi par Dieu, bien plus abstrait et verbal encore que le doute concernant la réalité des choses sensibles ; toutes les fois qu'un tel doute se présente, il suffit de l'accueillir sans aucune restriction pour éprouver combien il est abstrait et verbal. Dès lors le problème de la foi ne se pose pas. Tant qu'un être humain n'a pas été pris par Dieu, il ne peut pas avoir la foi, mais seulement une simple croyance ; et qu'il ait ou non une telle croyance n'importe guère, car il arrivera aussi bien à la foi par l'incrédulité. Le seul choix qui s'offre à l'homme, c'est d'attacher ou non son amour ici-bas. Qu'il refuse d'attacher son amour ici-bas, et qu'il reste immobile, sans chercher, sans bouger, en attente, sans essayer même de savoir ce qu'il attend ; il est absolument sûr que

Dieu fera tout le chemin jusqu'à lui. Celui qui cherche gêne l'opération de Dieu plus qu'il ne la facilite. Celui que Dieu a pris ne cherche plus du tout Dieu au sens où Pascal semble employer le mot de chercher.

Comment pourrions-nous chercher Dieu, puisqu'il est en haut, dans la dimension que nous ne pouvons pas parcourir ? Nous ne pouvons marcher qu'horizontalement. Si nous marchons ainsi, cherchant notre bien, et si la recherche aboutit, cet aboutissement est illusoire, ce que nous aurons trouvé ne sera pas Dieu. Un petit enfant qui soudain dans la rue ne voit pas sa mère à ses côtés court en tous sens en pleurant, mais il a tort ; s'il a assez de raison et de force d'âme pour s'arrêter et attendre, elle le trouvera plus vite. Il faut seulement attendre et appeler. Non pas appeler quelqu'un, tant qu'on ne sait pas s'il y a quelqu'un. Crier qu'on a faim, et qu'on veut du pain. On criera plus ou moins longtemps, mais finalement on sera nourri, et alors on ne croira pas, on saura qu'il existe vraiment du pain. Quand on en a mangé, quelle preuve plus sûre pourrait-on vouloir ? Tant qu'on n'en a pas mangé, il n'est pas nécessaire ni même très utile de croire au pain. L'essentiel est de savoir qu'on a faim. Ce n'est pas une croyance, c'est une connaissance tout à fait certaine qui ne peut être obscurcie que par le mensonge. Tous ceux qui croient qu'il

y a ou qu'il y aura un jour de la nourriture pro-
duite ici-bas mentent.

La nourriture céleste ne fait pas seulement
croître en nous le bien, elle détruit le mal, ce
que nos propres efforts ne peuvent jamais faire.
La quantité de mal qui est en nous ne peut être
diminuée que par le regard posé sur une chose
parfaitement pure.

Lettre à Joë Bousquet

12 mai 1942.

Cher ami,

Tout d'abord, merci encore de ce que vous venez de faire pour moi[1]. Si, comme j'espère, c'est efficace, cela aura été fait non pour moi, mais à travers moi pour d'autres, de jeunes frères à vous qui doivent vous être infiniment chers, pris dans le même destin. Quelques-uns peut-être vous devront, aux approches de l'instant suprême, la douceur d'un échange de regards.

Vous avez ce privilège parmi tous que pour vous l'état actuel du monde est une réalité. Plus peut-être même que pour ceux qui en ce moment

1. Joë Bousquet, à qui Simone avait envoyé son *Projet d'une formation d'infirmières de première ligne*, lui avait répondu par une lettre d'approbation dont Simone comptait se servir.

tuent et meurent, blessent et sont blessés, et qui, surpris, ne savent où ils sont ni ce qui leur arrive, qui, comme c'était jadis votre cas, n'ont pas les pensées de cette situation. Pour tous les autres, les gens d'ici par exemple, ce qui se passe est pour quelques-uns, très peu, un confus cauchemar, pour la plupart une vague toile de fond, un décor de théâtre, dans les deux cas de l'irréel.

Vous, depuis vingt ans, vous refaites par la pensée ce destin qui avait pris et lâché tant de gens, qui vous a pris pour toujours, et qui revient maintenant prendre à nouveau des millions d'hommes. Vous êtes maintenant, vous, prêt pour le penser. Ou si vous ne l'êtes pas encore tout à fait — je crois que vous ne l'êtes pas — vous n'avez plus du moins qu'une coquille à percer pour sortir des ténèbres de l'œuf dans la clarté de la vérité, et vous en êtes déjà à frapper contre la coquille. C'est une image très antique. L'œuf, c'est ce monde visible. Le poussin, c'est l'Amour, l'Amour qui est Dieu même et qui habite au fond de tout homme, d'abord comme germe invisible. Quand la coquille est percée, quand l'être est sorti, il a encore pour objet ce même monde. Mais il n'est plus dedans. L'espace s'est ouvert et déchiré. L'esprit, quittant le corps misérable abandonné dans un coin, est transporté dans un point hors de l'espace, qui n'est pas un point de vue, d'où il n'y a pas de perspective, d'où ce monde visible est vu réel, sans perspective. L'espace est devenu, par rapport à ce qu'il était dans l'œuf, une infinité à la deuxième, ou plutôt à la troisième puissance. L'instant est immobile. Tout l'espace est empli, même s'il y a des bruits qui se font entendre, par un silence dense, qui n'est pas une absence de son, qui est un objet positif de sensation, plus positif qu'un son, qui est la parole secrète, la parole de l'Amour qui depuis l'origine nous a dans ses bras.

Vous, une fois hors de l'œuf, vous connaîtrez la réalité de la guerre, la réalité la plus précieuse à connaître, parce que la guerre est l'irréalité même. Connaître la réalité de la guerre, c'est l'harmonie pythagoricienne, l'unité des contraires, c'est la plénitude de la connaissance du réel. C'est pourquoi vous êtes infiniment privilégié, car vous avez la guerre logée à demeure dans votre corps, qui depuis des années attend fidèlement que vous soyez mûr pour la connaître. Ceux qui sont tombés à vos côtés n'ont pas eu le temps de ramener sur leur sort la frivolité errante de leurs pensées. Ceux qui sont revenus intacts ont tous tué leur passé par l'oubli, même s'ils ont donné l'apparence de se souvenir, car la guerre est du malheur, et il est aussi facile de diriger volontairement la pensée vers le malheur que de persuader à un chien, sans dressage préalable, de marcher dans un incendie et de s'y laisser car-

boniser. Pour penser le malheur, il faut le porter dans la chair, enfoncé très avant, comme un
clou, et le porter longtemps, afin que la pensée
ait le temps de devenir assez forte pour le regarder. Le regarder du dehors, étant parvenue à
sortir du corps, et même, en un sens, de l'âme.
Le corps et l'âme restent non seulement trans-
percés, mais cloués sur un lieu fixe. Que le malheur impose ou non littéralement l'immobilité,
il y a toujours immobilité forcée en ce sens
qu'une partie de l'âme est toujours, continuellement, inséparablement collée à la douleur. Grâce
à cette immobilité la graine infinitésimale
d'amour divin, jetée dans l'âme peut à loisir gran-
dir et porter des fruits dans l'attente, ἐν ὑπομονῇ
selon l'expression divinement belle de l'Évangile.
On traduit *in patientia*, mais ὑπομένειν, c'est tout
autre chose. C'est rester sur place, immobile, dans
l'attente, sans être ébranlé ni déplacé par aucun
choc du dehors.

Heureux ceux pour qui le malheur entré dans
la chair est le malheur du monde lui-même à leur
époque. Ceux-là ont la possibilité et la fonction
de connaître dans sa vérité, de contempler dans
sa réalité le malheur du monde. C'est là la
fonction rédemptrice elle-même. Il y a vingt
siècles, dans l'Empire romain, le malheur de
l'époque était l'esclavage, dont la crucifixion était
le terme extrême.

Mais infortunés ceux qui ayant cette fonction ne l'accomplissent pas.

Quand vous dites que vous ne sentez pas la distinction du bien et du mal, prise littéralement, cette parole n'est pas sérieuse, puisque vous parlez d'un autre homme en vous, qui est évidemment le mal en vous ; vous savez bien — et dans les cas d'incertitude un examen attentif peut, au moins la plupart du temps, amener à savoir — ce qui dans vos pensées, vos paroles et vos actes nourrit cet autre à vos dépens, ce qui vous nourrit aux siens. Ce que vous voulez dire, c'est que vous n'avez pas encore consenti à reconnaître cette distinction comme celle du bien et du mal.

Ce consentement n'est pas facile, car il engage sans retour. Il y a une espèce de virginité de l'âme à l'égard du bien qui ne se retrouve pas plus, une fois le consentement accordé, que la virginité d'une femme après qu'elle a cédé à un homme. Cette femme peut devenir infidèle, adultère, mais elle ne sera plus jamais vierge. Aussi a-t-elle peur quand elle va dire oui. L'amour triomphe de cette peur.

Pour chaque être humain, il y a une date, inconnue de tous et de lui-même avant tout, mais tout à fait déterminée, au-delà de laquelle l'âme ne peut plus garder cette virginité. Si avant cet instant précis, éternellement marqué, elle n'a pas consenti à être prise par le bien, elle sera aussitôt après prise malgré elle par le mal.

Un homme peut à tout moment de sa vie se livrer au mal, car on s'y livre dans l'inconscience et sans savoir qu'on introduit en soi une autorité extérieure ; l'âme boit un narcotique avant de lui abandonner sa virginité. Il n'est pas nécessaire d'avoir dit oui au mal pour en être saisi. Mais le bien ne prend l'âme que quand elle a dit oui. Et la crainte de l'union nuptiale est telle qu'aucune âme n'a le pouvoir de dire oui au bien tant que l'approche presque immédiate de l'instant limite où son sort sera éternellement fixé ne la presse pas d'une manière urgente. Chez les uns l'instant limite peut se placer à l'âge de cinq ans, chez d'autres à l'âge de soixante ans. D'ailleurs ni avant qu'il ait été franchi ni après il n'est possible de le situer, car ce choix instantané et éternel n'apparaît que réfracté dans la durée. Chez ceux qui longtemps avant d'en approcher se sont laissé prendre par le mal, l'instant limite n'a plus de réalité. Le maximum qu'un être humain puisse faire, c'est, jusqu'à ce qu'il en soit tout proche, de garder intacte en lui la faculté de dire oui au bien.

Il me paraît certain que pour vous l'instant limite n'est pas venu. Je n'ai pas le pouvoir de scruter les cœurs, mais il me semble qu'il y a des signes qu'il n'est plus éloigné. Votre faculté de consentement est certes intacte.

Je pense qu'après que vous aurez consenti au bien vous percerez l'œuf, après un certain intervalle peut-être, mais sans doute court ; l'instant où vous serez au-dehors, il sera pardonné à cette balle qui est un jour entrée au centre de votre corps, et en elle à tout l'univers qui l'avait dirigée.

L'intelligence a un rôle pour préparer le consentement nuptial à Dieu. C'est de regarder le mal qu'on a en soi-même et de le haïr. Non pas essayer de s'en débarrasser, simplement le discerner ; et même avant d'avoir dit oui à son contraire, y maintenir le regard fixé suffisamment pour sentir la répulsion.

Je crois que chez tous peut-être, mais surtout chez ceux que le malheur a touchés, et surtout si le malheur est biologique, la racine du mal, c'est la rêverie. Elle est l'unique consolation, l'unique richesse des malheureux, l'unique secours pour porter l'affreuse pesanteur du temps ; un secours bien innocent ; d'ailleurs indispensable. Comment serait-il possible de s'en passer ? Elle n'a qu'un inconvénient, c'est qu'elle n'est pas réelle. Y renoncer par amour de la vérité, c'est vraiment abandonner tous ses biens par folie d'amour et suivre celui qui est en personne la Vérité. Et c'est vraiment porter la croix. Le temps est la croix.

Il ne faut pas le faire tant que l'instant limite n'est pas proche, mais il faut reconnaître la rêverie pour ce qu'elle est ; et même pendant qu'on en est soutenu, ne pas oublier un instant que sous toutes ses formes, les plus inoffensives en apparence par la puérilité, les plus respectables en apparence par le sérieux et par les rapports avec l'art, ou l'amour, ou l'amitié (et pour beaucoup la religion), sous toutes ses formes sans exception elle est le mensonge. Elle exclut l'amour. L'amour est réel.

Je n'oserais jamais vous parler ainsi si mon esprit avait élaboré toutes ces pensées. Mais, quoique je ne veuille accorder à de telles impressions aucun crédit, j'ai vraiment malgré moi le sentiment que Dieu, par amour pour vous, dirige tout cela vers vous à travers moi. De même il est indifférent que l'hostie consacrée soit faite d'une farine de la plus mauvaise qualité, même aux trois quarts pourrie.

Vous dites que je paye mes qualités morales par de la défiance envers moi-même. Mais l'explication de mon attitude envers moi-même, qui n'est pas de la défiance, qui est un mélange de mépris, de haine et de répulsion, se situe plus bas, au niveau des mécanismes biologiques. C'est la douleur physique. Depuis douze ans je suis habitée par une douleur située autour du point central du système nerveux, du point de jonction de l'âme et du corps, qui dure à travers le sommeil et n'a jamais été suspendue une seconde. Pendant dix ans elle a été telle, et accompagnée d'un tel sentiment d'épuisement, que le plus souvent mes efforts d'attention et de travail intellectuel étaient à peu près aussi dépourvus d'espérance que ceux d'un condamné à mort qui doit être exécuté le lendemain. Souvent beaucoup plus, quand ils apparaissaient tout à fait stériles, et sans fruit même immédiat. J'étais soutenue par la foi, acquise à l'âge de quatorze ans, que jamais aucun effort de véritable attention n'est perdu, même s'il ne doit jamais avoir ni directement ni indirectement aucun résultat visible. Pourtant un moment est venu où j'ai cru être menacée, par l'épuisement et par l'aggravation de la douleur, d'une si hideuse déchéance de toute l'âme que pendant plusieurs semaines je me suis demandé avec angoisse si mourir n'était pas pour moi le plus impérieux des devoirs, quoiqu'il me parût affreux que ma vie dût se terminer dans l'horreur. Comme je vous l'ai raconté, seule une résolution de mort conditionnelle et à terme m'a rendu la sérénité.

Peu de temps auparavant, étant déjà depuis des années dans cet état physique, j'avais été ouvrière d'usine, près d'un an, dans des usines de mécanique de la région parisienne. La combinaison de l'expérience personnelle et de la sympathie pour la misérable masse humaine qui m'entourait et avec laquelle j'étais, même à mes propres yeux, indistinctement confondue,

a fait entrer si avant dans mon cœur le malheur
de la dégradation sociale que depuis lors je me
suis toujours sentie une esclave, au sens que ce
mot avait chez les Romains.

Pendant tout cela le mot même de Dieu n'avait
aucune place en mes pensées. Il n'en a eu qu'à
partir du jour, il y a environ trois ans et demi,
où je n'ai pas pu la lui refuser. Dans un moment
d'intense douleur physique, alors que je m'effor-
çais d'aimer, mais sans me croire le droit de donner un nom à cet amour, j'ai senti, sans y être
aucunement préparée — car je n'avais jamais
lu les mystiques — une présence plus personnelle, plus certaine, plus réelle que celle d'un être
humain, inaccessible et aux sens et à l'imagination, analogue à l'amour qui transparaît à travers le plus tendre sourire d'un être aimé. Depuis
cet instant le nom de Dieu et celui du Christ se
sont mêlés de plus en plus irrésistiblement à mes
pensées.

Jusque-là ma seule foi avait été l'*amor fati* stoï-
cien, tel que l'a compris Marc-Aurèle, et je l'avais
toujours fidèlement pratiqué. L'amour pour la
cité de l'univers, pays natal, patrie bien-aimée
de toute âme, chérie pour sa beauté, dans la
totale intégrité de l'ordre et de la nécessité qui
en sont la substance, avec tous les événements
qui s'y produisent.

Le résultat a été que la quantité irréductible

de haine et de répulsion liée à la souffrance et au malheur s'est entièrement retournée sur moi-même. Et c'est une très grande quantité, parce qu'il s'agit d'une souffrance présente à la racine même de chaque pensée, sans aucune exception.

C'est au point que je ne peux absolument pas m'imaginer la possibilité qu'aucun être humain éprouve de l'amitié pour moi. Si je crois à la vôtre, c'est seulement pour autant qu'ayant confiance en vous et ayant reçu de vous l'assurance de cette amitié, ma raison me dit d'y croire. Mais pour mon imagination elle n'en est pas moins impossible.

Cette disposition de l'imagination me fait vouer une reconnaissance d'autant plus tendre à ceux qui accomplissent cette chose impossible. Car l'amitié est pour moi un bienfait incomparable, sans mesure, une source de vie, non métaphoriquement, mais littéralement. Car non seulement mon corps, mais mon âme elle-même empoisonnée tout entière par la souffrance étant inhabitable pour ma pensée, il faut qu'elle se transporte ailleurs. Elle ne peut habiter en Dieu que de courts espaces de temps. Elle habite souvent dans les choses. Mais il serait contre nature qu'une pensée humaine n'habitât jamais dans quelque chose d'humain. Ainsi littéralement l'amitié donne à ma pensée toute la part de sa vie qui ne lui vient pas de Dieu ou de la beauté du monde.

Vous pouvez par là concevoir quel bienfait vous m'avez accordé en m'accordant la vôtre.

Je vous dis ces choses parce que vous pouvez les comprendre, car il y a dans votre dernier livre une phrase où je me suis reconnue, sur l'erreur où sont vos amis quand ils croient que vous existez. C'est là une disposition de la sensibilité intelligible seulement à ceux pour qui l'existence elle-même est directement et continuellement sentie comme un mal. Pour ceux-là il est certes facile de faire ce que le Christ demande, se nier soi-même. Trop facile peut-être. C'est peut-être sans mérite. Cependant je crois que cette facilité est une immense faveur.

Je suis convaincue que le malheur d'une part, d'autre part la joie comme adhésion totale et pure à la parfaite beauté, impliquant tous deux la perte de l'existence personnelle, sont les deux seules clefs par lesquelles on entre dans le pays pur, le pays respirable ; le pays du réel.

Mais il faut que l'un et l'autre soient sans mélange, la joie sans aucune ombre d'insatisfaction, le malheur sans aucune consolation.

Vous me comprenez bien. Cet amour divin qu'on touche tout au fond du malheur, comme la résurrection du Christ à travers la crucifixion, et qui constitue l'essence non sensible et le noyau central de la joie, ce n'est pas une consolation. Il laisse la douleur tout à fait intacte.

Je vais vous dire quelque chose de dur à penser, plus dur encore à dire, presque intolérablement dur à dire à ceux qu'on aime. Pour quiconque est dans le malheur le mal peut peut-être se définir comme étant tout ce qui procure une consolation.

Les joies pures qui, selon les cas, ou bien se substituent pour un temps ou bien se superposent à la souffrance, ne sont pas des consolations. Au contraire, on peut souvent trouver une consolation dans une sorte d'aggravation morbide de la souffrance. Tout cela est clair pour moi, mais je ne sais si je l'exprime convenablement.

La paresse, la chute dans l'inertie, tentation à laquelle je succombe très souvent, presque tous les jours, je pourrais dire toutes les heures, est une forme particulièrement méprisable de la consolation. Cela m'oblige à me mépriser.

Je m'aperçois que je n'ai pas répondu à votre lettre, et pourtant j'ai bien des choses à en dire. Ce sera pour une autre fois. Aujourd'hui je me contenterai de vous en remercier.

Yours most truly.

Simone WEIL.

Je vous mets ci-joint le poème anglais que je vous avais récité, *Love* ; il a joué un grand rôle dans ma vie, car j'étais occupée à me le réciter à moi-même, à ce moment où, pour la première fois, le Christ est venu me prendre. Je croyais ne faire que redire un beau poème, et à mon insu c'était une prière.

L'amour de Dieu et le malheur

Dans le domaine de la souffrance, le malheur est une chose à part, spécifique, irréductible. Il est tout autre chose que la simple souffrance. Il s'empare de l'âme et la marque, jusqu'au fond, d'une marque qui n'appartient qu'à lui, la marque de l'esclavage. L'esclavage tel qu'il était pratiqué dans la Rome antique est seulement la forme extrême du malheur. Les anciens, qui connaissaient bien la question, disaient : « Un homme perd la moitié de son âme le jour où il devient esclave. »

Le malheur est inséparable de la souffrance physique, et pourtant tout à fait distinct. Dans la souffrance, tout ce qui n'est pas lié à la douleur physique ou à quelque chose d'analogue est artificiel, imaginaire, et peut être anéanti par une disposition convenable de la pensée. Même dans l'absence ou la mort d'un être aimé, la part irré-

ductible du chagrin est quelque chose comme
une douleur physique, une difficulté à respirer,
un étau autour du cœur, ou un besoin inassouvi,
une faim, ou le désordre presque biologique
causé par la libération brutale d'une énergie jusque-là orientée par un attachement et qui n'est
plus dirigée. Un chagrin qui n'est pas ramassé
autour d'un tel noyau irréductible est simplement du romantisme, de la littérature. L'humi-
liation aussi est un état violent de tout l'être
corporel, qui veut bondir sous l'outrage, mais doit
se retenir, contraint par l'impuissance ou la peur.

En revanche une douleur seulement physique
est très peu de chose et ne laisse aucune trace
dans l'âme. Le mal aux dents en est un exemple.
Quelques heures de douleur violente causée par
une dent gâtée, une fois passées, ne sont plus
rien.

Il en est autrement d'une souffrance physique
très longue ou très fréquente. Mais une telle souffrance est souvent tout autre chose qu'une souffrance ; c'est souvent un malheur.

Le malheur est un déracinement de la vie,
un équivalent plus ou moins atténué de la
mort, rendu irrésistiblement présent à l'âme
par l'atteinte ou l'appréhension immédiate de la
douleur physique. Si la douleur physique est tout
à fait absente, il n'y a pas malheur pour l'âme,
parce que la pensée se porte vers n'importe quel

autre objet. La pensée fuit le malheur aussi
promptement, aussi irrésistiblement qu'un animal fuit la mort. Il n'y a ici-bas que la douleur
physique et rien d'autre qui ait la propriété
d'enchaîner la pensée ; à condition qu'on assi-
mile à la douleur physique certains phéno-
mènes difficiles à décrire, mais corporels, qui lui
sont rigoureusement équivalents. L'appréhension
de la douleur physique, notamment, est de cette
espèce.

Quand la pensée est contrainte par l'atteinte de
la douleur physique, cette douleur fût-elle légère,
de reconnaître la présence du malheur, il se produit un état aussi violent que si un condamné
est contraint de regarder pendant des heures
la guillotine qui va lui couper le cou. Des êtres
humains peuvent vivre vingt ans, cinquante ans
dans cet état violent. On passe à côté d'eux sans
s'en apercevoir. Quel homme est capable de les
discerner, si le Christ lui-même ne regarde pas
par ses yeux ? On remarque seulement qu'ils ont
parfois un comportement étrange, et on blâme
ce comportement.

Il n'y a vraiment malheur que si l'événement
qui a saisi une vie et l'a déracinée l'atteint directement ou indirectement dans toutes ses parties, sociale, psychologique, physique. Le facteur
social est essentiel. Il n'y a pas vraiment malheur là où il n'y a pas sous une forme quelcon-

que déchéance sociale ou appréhension d'une telle déchéance.

Entre le malheur et tous les chagrins qui, même s'ils sont très violents, très profonds, très durables, sont autre chose que le malheur proprement dit, il y a à la fois continuité et la séparation d'un seuil, comme pour la température d'ébullition de l'eau. Il y a une limite au-delà de laquelle se trouve le malheur et non en deçà. Cette limite n'est pas purement objective ; toutes sortes de facteurs personnels entrent dans le compte. Un même événement peut précipiter un être humain dans le malheur et non un autre.

La grande énigme de la vie humaine, ce n'est pas la souffrance, c'est le malheur. Il n'est pas étonnant que des innocents soient tués, torturés, chassés de leurs pays, réduits à la misère ou à l'esclavage, enfermés dans des camps ou dans des cachots, puisqu'il se trouve des criminels pour accomplir ces actions. Il n'est pas étonnant non plus que la maladie impose de longues souffrances qui paralysent la vie et en font une image de la mort, puisque la nature est soumise à un jeu aveugle de nécessités mécaniques. Mais il est étonnant que Dieu ait donné au malheur la puissance de saisir l'âme elle-même des innocents et de s'en emparer en maître souverain. Dans le meilleur des cas, celui que marque le malheur ne gardera que la moitié de son âme.

Ceux à qui il est arrivé un de ces coups après lesquels un être se débat sur le sol comme un ver à moitié écrasé, ceux-là n'ont pas de mots pour exprimer ce qui leur arrive. Parmi les gens qu'ils rencontrent, ceux qui, même ayant beaucoup souffert, n'ont jamais eu contact avec le malheur proprement dit n'ont aucune idée de ce que c'est. C'est quelque chose de spécifique, irréductible à toute autre chose, comme les sons, dont rien ne peut donner aucune idée à un sourd-muet. Et ceux qui ont été eux-mêmes mutilés par le malheur sont hors d'état de porter secours à qui que ce soit et presque incapables même de le désirer. Ainsi la compassion à l'égard des malheureux est une impossibilité. Quand elle se produit vraiment, c'est un miracle plus surprenant que la marche sur les eaux, la guérison des malades et même la résurrection d'un mort.

Le malheur a contraint le Christ à supplier d'être épargné, à chercher des consolations auprès des hommes, à se croire abandonné de son Père. Il a contraint un juste à crier contre Dieu, un juste aussi parfait que la nature seulement humaine le comporte, davantage peut-être, si Job est moins un personnage historique qu'une figure du Christ. « Il se rit du malheur des innocents. » Ce n'est pas un blasphème, c'est un cri authentique arraché à la douleur. Le Livre de Job, d'un bout à l'autre, est une pure merveille de vérité et d'authenticité. Au sujet du malheur, tout ce qui s'écarte de ce modèle est plus ou moins souillé de mensonge.

Le malheur rend Dieu absent pendant un temps, plus absent qu'un mort, plus absent que la lumière dans un cachot complètement ténébreux. Une sorte d'horreur submerge toute l'âme. Pendant cette absence il n'y a rien à aimer. Ce qui est terrible, c'est que si, dans ces ténèbres où il n'y a rien à aimer, l'âme cesse d'aimer, l'absence de Dieu devient définitive. Il faut que l'âme continue à aimer à vide, ou du moins à vouloir aimer, fût-ce avec une partie infinitésimale d'elle-même. Alors un jour Dieu vient se montrer lui-même à elle et lui révéler la beauté du monde, comme ce fut le cas pour Job. Mais si l'âme cesse d'aimer, elle tombe dès ici-bas dans quelque chose de presque équivalent à l'enfer.

C'est pourquoi ceux qui précipitent dans le malheur des hommes non préparés à le recevoir tuent des âmes. D'autre part, à une époque comme la nôtre, où le malheur est suspendu sur tous, le secours apporté aux âmes n'est efficace que s'il va jusqu'à les préparer réellement au malheur. Ce n'est pas peu de chose.

Le malheur durcit et désespère parce qu'il imprime jusqu'au fond de l'âme, comme avec un fer rouge, ce mépris, ce dégoût et même cette répulsion de soi-même, cette sensation de culpa-

bilité et de souillure, que le crime devrait logique-
ment produire et ne produit pas. Le mal habite
dans l'âme du criminel sans y être senti. Il est
senti dans l'âme de l'innocent malheureux. Tout
se passe comme si l'état de l'âme qui par essence
convient au criminel avait été séparé du crime
et attaché au malheur ; et même à proportion de
l'innocence des malheureux.

Si Job crie son innocence avec un accent si
désespéré, c'est que lui-même n'arrive pas à y
croire, c'est qu'en lui-même son âme prend le
parti de ses amis. Il implore le témoignage de
Dieu même, parce qu'il n'entend plus le témoignage de sa propre conscience ; ce n'est plus pour
lui qu'un souvenir abstrait et mort.

La nature charnelle de l'homme lui est commune avec l'animal. Les poules se précipitent à
coups de bec sur une poule blessée. C'est un
phénomène aussi mécanique que la pesanteur.
Tout le mépris, toute la répulsion, toute la haine
que notre raison attache au crime, notre sensibilité l'attache au malheur. Excepté ceux dont le
Christ occupe toute l'âme, tout le monde méprise
plus ou moins les malheureux, quoique presque
personne n'en ait conscience.

Cette loi de notre sensibilité vaut aussi à l'égard
de nous-mêmes. Ce mépris, cette répulsion, cette
haine, chez le malheureux, se tournent contre lui-
même, pénètrent au centre de l'âme, et de là colo-

rent de leur coloration empoisonnée l'univers tout entier. L'amour surnaturel, s'il a survécu, peut empêcher ce second effet de se produire, mais non pas le premier. Le premier est l'essence même du malheur ; il n'y a pas de malheur là où il ne se produit pas.

« Il a été fait malédiction pour nous. » Ce n'est pas seulement le corps du Christ, suspendu au bois, qui a été fait malédiction, c'est aussi toute son âme. De même tout innocent dans le malheur se sent maudit. Même il en est encore ainsi de ceux qui ont été dans le malheur et en ont été retirés par un changement de fortune, s'ils ont été assez profondément mordus.

Un autre effet du malheur est de rendre l'âme sa complice, peu à peu, en y injectant un poison d'inertie. En quiconque a été malheureux assez longtemps, il y a une complicité à l'égard de son propre malheur. Cette complicité entrave tous les efforts qu'il pourrait faire pour améliorer son sort ; elle va jusqu'à l'empêcher de rechercher les moyens d'être délivré, parfois même jusqu'à l'empêcher de souhaiter la délivrance. Il est alors installé dans le malheur, et les gens peuvent croire qu'il est satisfait. Bien plus, cette complicité peut le pousser malgré lui à éviter, à fuir les moyens de la délivrance ; elle se voile alors sous des prétextes parfois ridicules. Même chez celui qui a été sorti du malheur, s'il a été mordu pour toujours jusqu'au fond de l'âme, il subsiste quelque chose qui le pousse à s'y précipiter de nouveau, comme si le malheur était installé en lui à la manière d'un parasite et le dirigeait à ses propres fins. Parfois cette impulsion l'emporte sur tous les mouvements de l'âme vers le bonheur. Si le malheur a pris fin par l'effet d'un bienfait, elle peut s'accompagner de haine contre le bienfaiteur ; telle est la cause de certains actes d'ingratitude sauvage apparemment inexplicables. Il est parfois facile de délivrer un malheureux de son malheur présent, mais il est difficile de le libérer de son malheur passé. Dieu seul le peut. Encore la grâce de Dieu elle-même ne guérit-elle pas ici-bas la nature irrémédiablement blessée. Le corps glorieux du Christ portait les plaies.

On ne peut accepter l'existence du malheur qu'en le regardant comme une distance.

Dieu a créé par amour, pour l'amour. Dieu n'a pas créé autre chose que l'amour même et les moyens de l'amour. Il a créé toutes les formes de l'amour. Il a créé des êtres capables d'amour à toutes les distances possibles. Lui-même est allé, parce que nul autre ne pouvait le faire, à la distance maximum, la distance infinie. Cette distance infinie entre Dieu et Dieu, déchirement suprême, douleur dont aucune autre n'approche, merveille de l'amour, c'est la crucifixion. Rien ne peut être plus loin de Dieu que ce qui a été fait malédiction.

Ce déchirement par-dessus lequel l'amour suprême met le lien de la suprême union résonne perpétuellement à travers l'univers, au fond du silence, comme deux notes séparées et fondues, comme une harmonie pure et déchirante. C'est cela la Parole de Dieu. La création tout entière n'en est que la vibration. Quand la musique humaine dans sa plus grande pureté nous perce l'âme, c'est cela que nous entendons à travers elles. Quand nous avons appris à entendre le silence, c'est cela que nous saisissons, plus distinctement, à travers lui.

Ceux qui persévèrent dans l'amour entendent cette note tout au fond de la déchéance où les a mis le malheur. À partir de ce moment ils ne peuvent plus avoir aucun doute.

Les hommes frappés de malheur sont au pied de la Croix, presque à la plus grande distance possible de Dieu. Il ne faut pas croire que le péché soit une distance plus grande. Le péché n'est pas une distance. C'est une mauvaise orientation du regard.

Il y a, il est vrai, une liaison mystérieuse entre cette distance et une désobéissance originelle. Dès l'origine, nous dit-on, l'humanité a détourné son regard de Dieu et marché dans la mauvaise direction aussi loin qu'elle pouvait aller. C'est qu'elle pouvait alors marcher. Nous, nous sommes cloués sur place, libres seulement de nos regards, soumis à la nécessité. Un mécanisme aveugle, qui ne tient nul compte du degré de perfection spirituelle, ballotte continuellement les hommes et en jette quelques-uns au pied même de la Croix. Il dépend d'eux seulement de garder ou non les yeux tournés vers Dieu à travers les secousses. Ce n'est pas que la Providence de Dieu soit absente. C'est par sa Providence que Dieu a voulu la nécessité comme un mécanisme aveugle.

Si le mécanisme n'était pas aveugle, il n'y aurait pas du tout de malheur. Le malheur est avant tout anonyme, il prive ceux qu'il prend de leur personnalité et en fait des choses. Il est indifférent, et c'est le froid de cette indifférence, un froid métallique, qui glace jusqu'au fond même de l'âme tous ceux qu'il touche. Ils ne retrouveront jamais plus la chaleur. Ils ne croiront jamais plus qu'ils sont quelqu'un.

Le malheur n'aurait pas cette vertu sans la part de hasard qu'il enferme. Ceux qui sont persécutés pour leur foi et qui le savent, quoi qu'ils aient à souffrir, ne sont pas des malheureux. Ils tombent dans le malheur seulement si la souffrance ou la peur occupent l'âme au point de faire oublier la cause de la persécution. Les martyrs livrés aux bêtes qui entraient dans l'arène en chantant n'étaient pas des malheureux. Le Christ était un malheureux. Il n'est pas mort comme un martyr. Il est mort comme un criminel de droit commun, mélangé aux larrons, seulement un peu plus ridicule. Car le malheur est ridicule.

Il n'y a que la nécessité aveugle qui puisse jeter des hommes au point de l'extrême distance, tout à côté de la Croix. Les crimes humains qui sont la cause de la plupart des malheurs font partie de la nécessité aveugle, car les criminels ne savent pas ce qu'ils font.

Il y a deux formes de l'amitié, la rencontre et la séparation. Elles sont indissolubles. Elles enferment toutes deux le même bien, le bien unique, l'amitié. Car quand deux êtres qui ne sont pas amis sont proches, il n'y a pas rencontre. Quand ils sont éloignés, il n'y a pas séparation. Enfermant le même bien, elles sont également bonnes.

Dieu se produit, se connaît soi-même parfaitement, comme nous fabriquons et connaissons misérablement des objets hors de nous. Mais avant tout Dieu est amour. Avant tout Dieu s'aime soi-même. Cet amour, cette amitié en Dieu, c'est la Trinité. Entre les termes unis par cette relation d'amour divin, il y a plus que proximité ; il y a proximité infinie, identité. Mais par la Création, l'Incarnation, la Passion, il y a aussi une distance infinie. La totalité de l'espace, la totalité du temps, interposant leur épaisseur, mettent une distance infinie entre Dieu et Dieu.

Les amants, les amis ont deux désirs. L'un de s'aimer tant qu'ils entrent l'un dans l'autre et ne fassent qu'un seul être. L'autre de s'aimer tant qu'ayant entre eux la moitié du globe terrestre leur union n'en souffre aucune diminution. Tout ce que l'homme désire vainement ici-bas est parfait et réel en Dieu. Tous ces désirs impossibles sont en nous comme une marque de notre destination, et ils sont bons pour nous dès que nous n'espérons plus les accomplir.

L'amour entre Dieu et Dieu, qui est lui-même Dieu, est ce lien à double vertu ; ce lien qui unit deux êtres au point qu'ils ne sont pas discernables et sont réellement un seul, ce lien qui s'étend par-dessus la distance et triomphe d'une séparation infinie. L'unité de Dieu où disparaît toute pluralité, l'abandon où croit se trouver le Christ sans cesse d'aimer parfaitement son Père, ce sont deux formes de la vertu divine du même Amour, qui est Dieu même.

Dieu est si essentiellement amour que l'unité, qui en un sens est sa définition même, est un simple effet de l'amour. Et à l'infinie vertu unificatrice de cet amour correspond l'infinie séparation dont elle triomphe, qui est toute la création, étalée à travers la totalité de l'espace et du temps, faite

de matière mécaniquement brutale, interposée
entre le Christ et son Père.

Nous autres hommes, notre misère nous donne
le privilège infiniment précieux d'avoir part à
cette distance placée entre le Fils et le Père. Mais
cette distance n'est séparation que pour ceux
qui aiment. Pour ceux qui aiment, la séparation,
quoique douloureuse, est un bien, parce qu'elle
est amour. La détresse même du Christ abandonné est un bien. Il ne peut pas y avoir pour
nous ici-bas de plus grand bien que d'y avoir
part. Dieu ici-bas ne peut pas nous être parfaitement présent, à cause de la chair. Mais il peut
nous être dans l'extrême malheur presque parfaitement absent. C'est pour nous sur terre l'unique possibilité de perfection. C'est pourquoi la
Croix est notre unique espoir. « Nulle forêt ne
porte un tel arbre, avec cette fleur, ce feuillage
et ce germe. »

Cet univers où nous vivons, dont nous sommes une parcelle, est cette distance mise par
l'Amour divin entre Dieu et Dieu. Nous sommes
un point dans cette distance. L'espace, le temps,
et le mécanisme qui gouverne la matière sont
cette distance. Tout ce que nous nommons le
mal n'est que ce mécanisme. Dieu a fait en sorte
que sa grâce, quand elle pénètre au centre même
d'un homme et de là illumine tout son être, lui
permet, sans violer les lois de la nature, de mar-

cher sur les eaux. Mais quand un homme se détourne de Dieu il se livre simplement à la pesanteur. Il croit ensuite vouloir et choisir, mais il n'est qu'une chose, une pierre qui tombe. Si l'on regarde de près, d'un regard vraiment attentif, les âmes et les sociétés humaines, on voit que partout où la vertu de la lumière surnaturelle est absente, tout obéit à des lois mécaniques aussi aveugles et aussi précises que les lois de la chute des corps. Ce savoir est bienfaisant et nécessaire. Ceux que nous nommons criminels ne sont que des tuiles détachées d'un toit par le vent et tombant au hasard. Leur seule faute est le choix initial qui a fait d'eux ces tuiles.

Le mécanisme de la nécessité se transpose à tous les niveaux en restant semblable à lui-même, dans la matière brute, dans les plantes, dans les animaux, dans les peuples, dans les âmes. Regardé du point où nous sommes, selon notre perspective, il est tout à fait aveugle. Mais si nous transportons notre cœur hors de nous-mêmes, hors de l'univers, hors de l'espace et du temps, là où est notre Père, et si de là nous regardons ce mécanisme, il apparaît tout autre. Ce qui semblait nécessité devient obéissance. La matière est entière passivité, et par suite entière obéissance à la volonté de Dieu. Elle est pour nous un parfait modèle. Il ne peut pas y avoir d'autre être que Dieu et ce qui obéit à Dieu. Par sa parfaite obéissance la matière mérite d'être aimée par ceux qui aiment son Maître, comme un amant regarde avec tendresse l'aiguille qui a été maniée par une femme aimée et morte. Nous sommes avertis de cette part qu'elle mérite à notre amour par la beauté du monde. Dans la beauté du monde la nécessité brute devient objet d'amour. Rien n'est beau comme la pesanteur dans les plis fugitifs des ondulations de la mer ou les plis presque éternels des montagnes.

La mer n'est pas moins belle à nos yeux parce que nous savons que parfois des bateaux sombrent. Elle en est plus belle au contraire. Si elle modifiait le mouvement de ses vagues pour épargner un bateau, elle serait un être doué de discernement et de choix, et non pas ce fluide parfaitement obéissant à toutes les pressions extérieures. C'est cette parfaite obéissance qui est sa beauté.

Toutes les horreurs qui se produisent en ce monde sont comme les plis imprimés aux vagues par la pesanteur. C'est pourquoi elles enferment une beauté. Parfois un poème, tel que l'*Iliade*, rend cette beauté sensible.

L'homme ne peut jamais sortir de l'obéissance à Dieu. Une créature ne peut pas ne pas obéir. Le seul choix offert à l'homme comme créature intelligente et libre, c'est de désirer l'obéissance ou de ne pas la désirer. S'il ne la désire pas, il obéit néanmoins, perpétuellement, en tant que chose soumise à la nécessité mécanique. S'il la désire, il reste soumis à la nécessité mécanique, mais une nécessité nouvelle s'y surajoute, une nécessité constituée par les lois propres aux choses surnaturelles. Certaines actions lui deviennent impossibles, d'autres s'accomplissent à travers lui parfois presque malgré lui.

Quand on a le sentiment que dans telle occasion on a désobéi à Dieu, cela veut dire simplement que pendant un temps on a cessé de désirer l'obéissance. Bien entendu, toutes choses égales d'ailleurs, un homme n'accomplit pas les mêmes actions selon qu'il consent ou non à l'obéissance ; de même qu'une plante, toutes choses égales d'ailleurs, ne pousse pas de la même manière selon qu'elle est dans la lumière ou dans les ténèbres. La plante n'exerce aucun contrôle, aucun choix dans l'affaire de sa propre croissance. Nous, nous sommes comme des plantes qui auraient pour unique choix de s'exposer ou non à la lumière.

Le Christ nous a proposé comme modèle la docilité de la matière en nous conseillant de regarder les lis des champs qui ne travaillent ni ne filent. C'est-à-dire qu'ils ne se sont pas proposé de revêtir telle ou telle couleur, ils n'ont pas mis en mouvement leur volonté ni disposé des moyens à cette fin, ils ont reçu tout ce que la nécessité naturelle leur apportait. S'ils nous paraissent infiniment plus beaux que de riches étoffes, ce n'est pas qu'ils soient plus riches, c'est par cette docilité. Le tissu aussi est docile, mais docile à l'homme, non à Dieu. La matière n'est pas belle quand elle obéit à l'homme, seulement quand elle obéit à Dieu. Si parfois, dans une œuvre d'art, elle apparaît presque aussi belle que dans la mer, les montagnes ou les fleurs, c'est que la lumière de Dieu a empli l'artiste. Pour trouver belles des choses fabriquées par des hommes non éclairés de Dieu, il faut avoir compris avec toute l'âme que ces hommes eux-mêmes ne sont que de la matière qui obéit sans le savoir. Pour celui qui en est là, absolument tout ici-bas est parfaitement beau. En tout ce qui existe, en tout ce qui se produit, il discerne le mécanisme de la nécessité, et il savoure dans la nécessité la douceur infinie de l'obéissance. Cette obéissance des choses est pour nous, par rapport à Dieu, ce qu'est la transparence d'une vitre par rapport à la lumière. Dès que nous sentons cette obéissance de tout notre être, nous voyons Dieu.

Quand nous tenons un journal à l'envers, nous voyons les formes étranges des caractères imprimés. Quand nous le mettons à l'endroit, nous ne voyons plus les caractères, nous voyons des mots. Le passager d'un bateau pris par une tempête sent chaque secousse comme un bouleversement dans ses entrailles. Le capitaine y saisit seulement la combinaison complexe du vent, du courant, de la houle, avec la disposition du bateau, sa forme, sa voilure, son gouvernail.

Comme on apprend à lire, comme on apprend un métier, de même on apprend à sentir en toute chose, avant tout et presque uniquement, l'obéissance de l'univers à Dieu. C'est vraiment un apprentissage. Comme tout apprentissage, il demande des efforts et du temps. Pour qui est arrivé au terme, il n'y a pas plus de différence entre les choses, entre les événements, que la différence sentie par quelqu'un qui sait lire devant une même phrase reproduite plusieurs fois, écrite à l'encre rouge, à l'encre bleue, imprimée en tels, tels et tels caractères. Celui qui ne sait pas lire ne voit là que des différences. Pour qui sait lire, tout cela est équivalent, puisque la phrase est la même. Pour qui a achevé l'apprentissage, les choses et les événements partout, toujours, sont la vibration de la même parole divine infiniment douce. Cela ne veut pas dire qu'il ne souffre pas. La douleur est la coloration de certains événements. Devant une phrase écrite à l'encre rouge, celui qui sait lire et celui qui ne sait pas voient pareillement du rouge ; mais la coloration rouge n'a pas la même importance pour l'un et pour l'autre.

Quand un apprenti se blesse ou bien se plaint de fatigue, les ouvriers, les paysans, ont cette belle parole : « C'est le métier qui rentre dans le corps. » Chaque fois que nous subissons une douleur, nous pouvons nous dire avec vérité que c'est l'univers, l'ordre du monde, la beauté du monde, l'obéissance de la création à Dieu qui nous entrent dans le corps. Dès lors, comment ne bénirions-nous pas avec la plus tendre reconnaissance l'Amour qui nous envoie ce don ?

La joie et la douleur sont des dons également précieux, qu'il faut savourer l'un et l'autre intégralement, chacun dans sa pureté, sans chercher à les mélanger. Par la joie la beauté du monde pénètre dans notre âme. Par la douleur elle nous entre dans le corps. Avec la joie seule, nous ne pourrions pas plus devenir amis de Dieu que l'on ne devient capitaine seulement en étudiant des manuels de navigation. Le corps a part dans tout apprentissage. Au niveau de la sensibilité physique, la douleur seule est un contact avec cette nécessité qui constitue l'ordre du monde ; car le plaisir n'enferme pas l'impression d'une nécessité. C'est une partie plus élevée de la sensibilité qui est capable de sentir la nécessité dans la joie, et cela seulement par l'intermédiaire du sentiment du beau. Pour que notre être devienne un jour sensible tout entier, de part en part, à cette obéissance qui est la substance de la matière, pour que se forme en nous ce sens nouveau qui permet d'entendre l'univers comme étant la vibration de la parole de Dieu, la vertu transformatrice de la douleur et celle de la joie sont également indispensables. Il faut ouvrir à l'une et à l'autre, quand l'une ou l'autre se présente, le centre même de l'âme, comme on ouvre sa porte aux messagers de celui qu'on aime. Qu'importe à une amante que le messager soit poli ou brutal, s'il lui tend un message ?

Mais le malheur n'est pas la douleur. Le malheur est bien autre chose qu'un procédé pédagogique de Dieu.

L'infinité de l'espace et du temps nous sépare de Dieu. Comment le chercherions-nous ? Comment irions-nous vers lui ? Quand même nous marcherions tout au long des siècles, nous ne ferions pas autre chose que tourner autour de la terre. Même en avion, nous ne pourrions pas faire autre chose. Nous sommes hors d'état d'avancer verticalement. Nous ne pouvons pas faire un pas vers les cieux. Dieu traverse l'univers et vient jusqu'à nous.

Par-dessus l'infinité de l'espace et du temps, l'amour infiniment plus infini de Dieu vient nous saisir. Il vient à son heure. Nous avons le pouvoir de consentir à l'accueillir ou de refuser. Si nous restons sourds il revient et revient encore comme un mendiant, mais aussi, comme un

mendiant, un jour ne revient plus. Si nous con-
sentons, Dieu met en nous une petite graine et
s'en va. À partir de ce moment, Dieu n'a plus
rien à faire ni nous non plus, sinon attendre.
Nous devons seulement ne pas regretter le consentement que nous avons accordé, le oui nuptial. Ce n'est pas aussi facile qu'il semble, car la
croissance de la graine en nous est douloureuse.
De plus, du fait même que nous acceptons cette
croissance, nous ne pouvons nous empêcher de
détruire ce qui la gênerait, d'arracher des mauvaises herbes, de couper du chiendent ; et mal-
heureusement ce chiendent fait partie de notre
chair même, de sorte que ces soins de jardinier
sont une opération violente. Néanmoins la graine,
somme toute, croît toute seule. Un jour vient
où l'âme appartient à Dieu, où non seulement
elle consent à l'amour, mais où vraiment, effec-
tivement, elle aime. Il faut alors à son tour qu'elle
traverse l'univers pour aller à Dieu. L'âme n'aime
pas comme une créature d'un amour créé. Cet
amour en elle est divin, incréé, car c'est l'amour
de Dieu pour Dieu qui passe à travers elle. Dieu
seul est capable d'aimer Dieu. Nous pouvons seulement consentir à perdre nos sentiments propres
pour laisser passage en notre âme à cet amour.
C'est cela se nier soi-même. Nous ne sommes
créés que pour ce consentement.

L'Amour divin a traversé l'infinité de l'espace

et du temps pour aller de Dieu à nous. Mais comment peut-il refaire le trajet en sens inverse quand il part d'une créature finie ? Quand la graine d'amour divin déposée en nous a grandi, est devenue un arbre, comment pouvons-nous, nous qui la portons, la rapporter à son origine, faire en sens inverse le voyage qu'a fait Dieu vers nous, traverser la distance infinie ?

Cela semble impossible, mais il y a un moyen. Ce moyen, nous le connaissons bien. Nous savons bien à la ressemblance de quoi est fait cet arbre qui a poussé en nous, cet arbre si beau, où les oiseaux du ciel se posent. Nous savons quel est le plus beau de tous les arbres. « Nulle forêt n'en porte un pareil. » Quelque chose d'encore un peu plus affreux qu'une potence, voilà le plus beau des arbres. C'est cet arbre dont Dieu a mis la graine en nous, sans que nous sachions quelle était cette graine. Si nous avions su, nous n'aurions pas dit oui au premier moment. C'est cet arbre qui a poussé en nous, qui est devenu indéracinable. Seule une trahison peut le déraciner.

Quand on frappe avec un marteau sur un clou, le choc reçu par la large tête du clou passe tout entier dans la pointe, sans que rien s'en perde, quoiqu'elle ne soit qu'un point. Si le marteau et la tête du clou étaient infiniment grands, tout se passerait encore de même. La pointe du clou transmettrait au point sur lequel elle est appliquée ce choc infini.

L'extrême malheur, qui est à la fois douleur physique, détresse de l'âme et dégradation sociale, constitue ce clou. La pointe est appliquée au centre même de l'âme. La tête du clou est toute la nécessité éparse à travers la totalité de l'espace et du temps.

Le malheur est une merveille de la technique divine. C'est un dispositif simple et ingénieux qui fait entrer dans l'âme d'une créature finie cette immensité de force aveugle, brutale et froide. La distance infinie qui sépare Dieu de la créature se rassemble tout entière en un point pour percer une âme en son centre.

L'homme à qui pareille chose arrive n'a aucune part à cette opération. Il se débat comme un papillon qu'on épingle vivant sur un album. Mais il peut à travers l'horreur continuer à vouloir aimer. Il n'y a à cela aucune impossibilité, aucun obstacle, on pourrait presque dire aucune difficulté ; car la douleur la plus grande, tant qu'elle est en deçà de l'évanouissement, ne touche pas à ce point de l'âme qui consent à une bonne orientation.

Il faut seulement savoir que l'amour est une orientation et non pas un état d'âme. Si on l'ignore on tombe dans le désespoir dès la première atteinte du malheur.

Celui dont l'âme reste orientée vers Dieu pendant qu'elle est percée d'un clou se trouve cloué sur le centre même de l'univers. C'est le vrai centre, qui n'est pas au milieu, qui est hors de l'espace et du temps, qui est Dieu. Selon une dimension qui n'appartient pas à l'espace, qui n'est pas le temps, qui est une tout autre dimension, ce clou a percé un trou à travers la création, à travers l'épaisseur de l'écran qui sépare l'âme de Dieu.

Par cette dimension merveilleuse, l'âme peut, sans quitter le lieu et l'instant où se trouve le corps auquel elle est liée, traverser la totalité de l'espace et du temps et parvenir devant la présence même de Dieu.

Elle se trouve à l'intersection de la création et du Créateur. Ce point d'intersection, c'est celui du croisement des branches de la Croix.

Saint Paul songeait peut-être à des choses de ce genre quand il disait : « Soyez enracinés dans l'amour, afin d'être capables de saisir ce que sont la largeur, la longueur, la hauteur et la profondeur, et de connaître ce qui passe toute connaissance, l'amour du Christ. »

Pour être en cas d'extrême malheur cloué sur la croix même du Christ, il faut porter en son âme, au moment où le malheur survient, non pas seulement la graine divine, mais l'arbre de vie déjà formé.

Autrement on a le choix entre les croix qui étaient de part et d'autre de celle du Christ.

On ressemble au mauvais larron quand on cherche une consolation dans le mépris et la haine des compagnons d'infortune. C'est là l'effet le plus commun du véritable malheur. C'était le cas dans l'esclavage à Rome. Ceux qui s'étonnent quand ils aperçoivent un tel état d'esprit chez les malheureux y tomberaient presque tous eux-mêmes si le malheur les touchait.

Pour ressembler au bon larron, il suffit de se rendre compte que, dans quelque degré de malheur qu'on soit plongé, on a mérité au moins cela. Car avant d'être réduit à l'impuissance par le malheur, on s'est certainement rendu complice par lâcheté, inertie, indifférence ou ignorance coupable, de crimes qui ont mis d'autres êtres dans un malheur au moins aussi grand. Sans doute on ne pouvait généralement pas empêcher ces crimes, mais on pouvait dire qu'on les blâmait. On a omis de le faire, ou même on les a approuvés, ou du moins on a laissé dire autour de soi qu'on les approuvait. Le malheur qu'on subit n'est pas en stricte justice un châtiment trop grand pour cette complicité. On n'a pas le droit d'avoir compassion de soi-même. On sait qu'au moins une fois un être parfaitement innocent a souffert un malheur pire ; il vaut mieux diriger la compassion vers lui à travers les siècles.

Chacun peut et doit se dire cela, car il y a des choses tellement atroces dans nos institutions et nos mœurs que nul ne peut légitimement se croire absous de cette complicité diffuse. Certainement chacun s'est rendu coupable au moins d'indifférence criminelle.

Mais en plus chaque homme a le droit de désirer avoir part à la Croix même du Christ. Nous avons un droit illimité de demander à Dieu tout ce qui est bien. Ce n'est pas dans de telles demandes qu'il convient d'être humble ou modéré.

Il ne faut pas désirer le malheur ; cela est contre nature ; c'est une perversion ; et surtout le malheur est par essence ce qu'on subit malgré soi. Si on n'est pas plongé dedans, on peut seulement désirer qu'au cas où il surviendrait il constitue une participation à la Croix du Christ.

Mais ce qui est en fait perpétuellement présent, ce que par suite il est toujours permis d'aimer, c'est la possibilité du malheur. Les trois faces de notre être y sont toujours exposées. Notre chair est fragile ; n'importe quel morceau de matière en mouvement peut la percer, la déchirer, l'écraser ou encore fausser pour toujours un des rouages intérieurs. Notre âme est vulnérable, sujette à des dépressions sans causes, pitoyablement dépendante de toutes sortes de choses et d'êtres eux-mêmes fragiles ou capricieux. Notre personne sociale, dont dépend presque le sentiment

de notre existence, est constamment et entièrement exposée à tous les hasards. Le centre même
de notre être est lié à ces trois choses par des
fibres telles qu'il en sent toutes les blessures un
peu graves jusqu'à saigner lui-même. Surtout
tout ce qui diminue ou détruit notre prestige
social, notre droit à la considération, semble
altérer ou abolir notre essence elle-même, tant
nous avons pour substance l'illusion.

Cette fragilité presque infinie, on n'y pense
pas quand tout va à peu près bien. Mais rien ne
force à ne pas y penser. On peut continuellement la regarder, et continuellement en remercier Dieu. Non seulement remercier pour la
fragilité elle-même, mais aussi pour cette faiblesse plus intime qui transporte cette fragilité
au centre même de l'être. Car c'est cette faiblesse
qui rend possible, éventuellement, l'opération qui
nous clouerait au centre même de la Croix.

Nous pouvons penser à cette fragilité, avec
amour et reconnaissance, à l'occasion de
n'importe quelle souffrance grande ou petite.
Nous pouvons y penser dans les moments à peu
près indifférents. Nous pouvons y penser à l'occasion de toutes les joies. On ne le devrait pas si
cette pensée était de nature à troubler ou à
diminuer la joie. Mais il n'en est pas ainsi. La
joie en devient seulement d'une douceur plus

pénétrante et plus poignante, comme la fragilité des fleurs de cerisiers en accroît la beauté.

Si l'on dispose ainsi la pensée, au bout d'un certain temps la Croix du Christ doit devenir la substance même de la vie. C'est cela sans doute que le Christ a voulu dire quand il conseillait à ses amis de porter chaque jour leur croix, et non pas, comme on semble croire aujourd'hui, la simple résignation aux petits ennuis de chaque jour, que l'on nomme parfois des croix, par un abus de langage presque sacrilège. Il n'y a qu'une croix, c'est la totalité de la nécessité qui emplit l'infinité du temps et de l'espace, et qui peut, en certaines circonstances, se concentrer sur l'atome qu'est chacun de nous et le pulvériser totalement. Porter sa croix, c'est porter la connaissance qu'on est entièrement soumis à cette nécessité aveugle, dans toutes les parties de l'être, sauf un point si secret de l'âme que la conscience ne l'atteint pas. Si cruellement qu'un homme souffre, si une partie de son être est intacte, et s'il n'a pas pleinement conscience qu'elle a échappé par hasard et reste à tout moment exposée aux coups du hasard, il n'a aucune part à la Croix. Il en est ainsi surtout si la partie de l'être demeurée intacte, ou du moins plus ou moins épargnée, est la partie sociale. C'est pourquoi la maladie est d'un usage nul si l'esprit de pauvreté, dans sa perfection, ne s'y ajoute pas. Un homme parfaitement heureux peut en même temps pleinement jouir du bonheur et porter sa croix, s'il a réellement, concrètement et à tout moment la connaissance de la possibilité du malheur.

Mais il ne suffit pas de connaître cette possibilité, il faut l'aimer. Il faut aimer tendrement la dureté de cette nécessité qui est comme une médaille à double face, la face tournée vers nous étant domination, la face tournée vers Dieu étant obéissance. Il faut la serrer dans nos bras, même si elle nous présente ses pointes et qu'en l'étreignant nous les fassions entrer dans notre chair. Quiconque aime est heureux, dans l'absence, de serrer jusqu'à le faire pénétrer dans la chair un objet appartenant à l'être aimé. Nous savons que cet univers est un objet appartenant à Dieu. Nous devons remercier Dieu du fond du cœur de nous avoir donné pour souveraine absolue la nécessité, son esclave insensée, aveugle et parfaitement obéissante. Elle nous mène avec le fouet. Mais étant soumis ici-bas à sa tyrannie, il suffit que nous choisissions Dieu pour notre trésor, que nous mettions en Dieu notre cœur ; et dès maintenant nous verrons l'autre face de cette tyrannie, la face qui est pure obéissance. Nous sommes les esclaves de la nécessité, mais nous sommes aussi les fils de son Maître. Quoi qu'elle nous ordonne, nous devons aimer le spectacle de sa docilité, nous qui sommes les enfants de la maison. Toutes les fois qu'elle ne fait pas ce que nous voulons, qu'elle nous force à subir ce que nous ne voulons pas, il nous est donné par l'amour de passer à travers elle et de voir la face d'obéissance qu'elle montre à Dieu. Heureux ceux qui ont souvent cette précieuse occasion.

La douleur physique intense et longue a cet unique avantage, que notre sensibilité est faite de manière à ne pas pouvoir l'accepter. Nous pouvons nous habituer, nous complaire, nous adapter à n'importe quoi sauf à cela, et nous nous adaptons pour avoir l'illusion de la puissance, pour croire que nous commandons. Nous jouons à nous imaginer que nous avons choisi ce qui nous est imposé. Quand un être humain est transformé à ses propres yeux en une sorte de bête à peu près paralysée et tout à fait répugnante, il ne peut plus avoir cette illusion. C'est mieux encore si cette transformation s'est accomplie par la volonté des hommes, par l'effet d'une réprobation sociale, à condition que ce soit un acte d'oppression en quelque sorte anonyme et non pas une persécution honorable. La partie charnelle de notre âme n'est sensible à la nécessité que comme contrainte, et n'est sensible à la contrainte que comme douleur physique. C'est la même vérité qui pénètre dans la sensibilité charnelle par la douleur physique, dans l'intelligence par la démonstration mathématique, et dans la faculté d'amour par la beauté. Aussi Job, une fois le voile de chair déchiré par le malheur, voit-il à nu la beauté du monde. La beauté du monde apparaît quand on reconnaît la nécessité comme substance de l'univers, et l'obéissance à un Amour parfaitement sage comme substance de la nécessité. Cet univers dont nous sommes un fragment n'a pas d'autre être que d'être obéissant.

La joie sensible a une vertu analogue à celle de la douleur physique quand elle est si vive, si pure, quand elle dépasse tellement l'attente, que nous nous reconnaissons aussitôt incapables de nous procurer nous-mêmes rien de semblable ou de nous en assurer la possession. De telles joies ont toujours la beauté pour essence. La joie pure et la douleur pure sont deux aspects de la même vérité infiniment précieuse. Heureusement, car grâce à cela on a le droit de souhaiter à ceux qu'on aime la joie plutôt que la douleur.

La Trinité et la Croix sont les deux pôles du christianisme, les deux vérités essentielles, l'une joie parfaite, l'autre parfait malheur. La connaissance de l'une et de l'autre et de leur mystérieuse unité est indispensable, mais ici-bas nous sommes placés par la condition humaine infiniment loin de la Trinité, au pied même de la Croix. La Croix est notre patrie.

La connaissance du malheur est la clef du christianisme. Mais cette connaissance est impossible. Il est impossible de connaître le malheur sans l'avoir traversé. Car la pensée répugne tellement au malheur qu'elle est aussi incapable de se porter volontairement à le concevoir qu'un animal, sauf exception, est incapable de suicide. Elle ne le connaît que par contrainte. Il est impossible de croire sans y être contraint par l'expérience que tout ce qu'on a dans l'âme, toutes les pensées, tous les sentiments, toutes les attitudes à l'égard des idées, des hommes et de l'univers, et surtout l'attitude la plus intime de l'être envers lui-même, tout cela est entièrement à la merci des circonstances. Même si on le reconnaît théoriquement, ce qui est déjà très rare, on ne le croit pas avec toute l'âme. Le croire avec toute l'âme, c'est cela que le Christ appelait non pas, comme on traduit d'ordinaire, renoncement ou abnégation, mais se nier soi-même, et c'est la condition pour mériter d'être son disciple. Mais quand on est dans le malheur ou qu'on l'a traversé, on ne croit pas davantage à cette vérité, on pourrait presque dire qu'on y croit encore moins. Car la pensée ne peut jamais vraiment être contrainte, elle a toujours licence de se dérober par le mensonge. La pensée placée par la contrainte des circonstances en face du malheur fuit dans le mensonge avec la promptitude de l'animal menacé de mort et devant qui s'ouvre un refuge. Parfois, dans sa terreur, elle s'enfonce dans le mensonge très profondément ; aussi arrive-t-il souvent que ceux qui sont ou qui ont été dans le malheur aient contracté le mensonge comme un vice, au point quelquefois d'avoir perdu en toute chose jusqu'au sens même de la vérité. On a tort de les en blâmer. Le mensonge est tellement lié au malheur que le Christ a vaincu le monde du seul fait qu'étant la Vérité, il est resté la Vérité jusqu'au fond même de l'extrême malheur. La pensée est contrainte de fuir l'aspect du malheur par un instinct de conservation infiniment plus essentiel à notre être que celui qui nous écarte de la mort charnelle ; il est relativement facile de s'exposer à celle-ci quand, par l'effet des circonstances ou les jeux de l'imagination, elle ne se présente pas sous l'aspect du malheur. On ne peut regarder le malheur en face et de tout près avec une attention soutenue que si on accepte la mort de l'âme par amour de la vérité. C'est cette mort de l'âme dont parle Platon quand il disait « philosopher, c'est apprendre à mourir », qui était symbolisée dans les initiations des mystères antiques, qui est représentée par le baptême. Il ne s'agit pas en réalité pour l'âme de mourir, mais simplement de reconnaître la vérité qu'elle est une chose morte, une chose analogue à la matière. Elle n'a pas à devenir de l'eau ; elle est de l'eau ; ce que nous croyons être notre moi est un produit aussi fugitif et aussi automatique des circonstances extérieures que la forme d'une vague de la mer.

Il faut seulement savoir cela, le savoir jusqu'au fond de soi-même. Mais Dieu seul a cette connaissance de l'homme, et ici-bas ceux qui ont été engendrés d'en haut. Car on ne peut pas accepter cette mort de l'âme si on n'a pas en plus de la vie illusoire de l'âme une autre vie ; si on n'a pas son trésor et son cœur hors de soi ; non seulement hors de sa personne, mais hors de toutes ses pensées, hors de tous ses sentiments, au-delà de tout ce qui est connaissable, aux mains de notre Père qui est dans le secret. Ceux qui sont ainsi, on peut dire qu'ils ont été engendrés à partir de l'eau et de l'Esprit. Car ils ne sont plus autre chose qu'une double obéissance, d'une part à la nécessité mécanique où ils sont pris du fait de leur condition terrestre, d'autre part à l'inspiration divine. Il n'y a plus rien en eux qu'on puisse appeler leur volonté propre, leur personne, leur moi. Ils ne sont plus autre chose qu'une certaine intersection de la nature et de Dieu. Cette intersection, c'est le nom dont Dieu les a nommés de toute éternité, c'est leur vocation. Dans l'ancien

baptême par immersion, l'homme disparais-
sait sous l'eau ; c'est se nier soi-même, avouer
qu'on est seulement un fragment de la matière
inerte dont est faite la création. Il ne reparais-
sait que soulevé par un mouvement ascendant
plus fort que la pesanteur, image de l'amour divin
dans l'homme. Le symbole qu'enferme le baptême, c'est l'état de perfection. La promesse liée
au baptême est celle de désirer et demander à
Dieu cet état, perpétuellement, inlassablement,
aussi longtemps qu'on ne l'a pas obtenu, comme
un enfant affamé ne se lasse pas de demander à
son père du pain. Mais à quoi engage une telle
promesse, on ne peut pas le savoir tant qu'on n'a
pas été en présence de la face terrible du malheur. En ce lieu seulement, face à face avec le
malheur, peut être contracté l'engagement véritable, par un contact plus secret, plus mystérieux, plus miraculeux encore qu'un sacrement.

La connaissance du malheur étant naturelle-
ment impossible aussi bien à ceux qui l'ont qu'à
ceux qui ne l'ont pas éprouvé, elle est également
possible aux uns et aux autres par faveur surnaturelle. Autrement le Christ n'aurait pas épargné
le malheur à celui qu'il chérissait par-dessus tous,
après lui avoir promis qu'il le ferait boire dans sa
coupe. Dans les deux cas, la connaissance du malheur est une chose bien plus miraculeuse que la
marche sur les eaux.

Ceux que le Christ reconnaît comme ayant été ses bienfaiteurs, ce sont ceux dont la compassion reposait sur la connaissance du malheur. Les autres donnent capricieusement, irrégulièrement, ou au contraire trop régulièrement, par l'effet ou des habitudes imprimées par l'éducation, ou de la conformité aux conventions sociales, ou de l'orgueil, ou d'une pitié charnelle, ou du désir d'une bonne conscience, bref, par un mobile qui les concerne eux-mêmes. Ils sont hautains, ou prennent un air protecteur, ou expriment une pitié indiscrète, ou laissent sentir au malheureux qu'il est seulement à leurs yeux un exemplaire d'une certaine espèce de malheur. De toute manière leur don est une blessure. Et ils ont leur salaire ici-bas, car leur main gauche n'ignore pas ce qu'a donné leur main droite. Leur contact avec les malheureux ne peut se faire que dans le mensonge, car la vraie connaissance des malheureux implique celle du malheur. Ceux qui n'ont pas regardé la face du malheur ou ne sont pas prêts à le faire ne peuvent s'approcher des malheureux que protégés par le voile d'un mensonge ou d'une illusion. Si par hasard soudain dans le visage d'un malheureux la face du malheur apparaît, ils s'enfuient.

Le bienfaiteur du Christ, en présence d'un malheureux, ne sent aucune distance entre lui et soi-même ; il transporte en l'autre tout son être ;

dès lors le mouvement d'apporter à manger est aussi instinctif, aussi immédiat, que celui de manger soi-même quand on a faim. Et il tombe presque aussitôt dans l'oubli, comme tombent dans l'oubli les repas des jours passés. Un tel homme ne songerait pas à dire qu'il s'occupe des malheureux pour le Seigneur ; cela lui paraîtrait aussi absurde que de dire qu'il mange pour le Seigneur. On mange parce qu'on ne peut pas s'en empêcher. Ceux que le Christ remerciera donnent comme ils mangent.

Ils donnent bien autre chose que de la nourriture, des vêtements ou des soins. En transportant leur être même dans celui qu'ils secourent, ils lui donnent pour un instant cette existence propre dont il est privé par le malheur. Le malheur est essentiellement destruction de la personnalité, passage dans l'anonymat. Comme le Christ s'est vidé de sa divinité par amour, le malheureux est vidé de son humanité par sa mauvaise fortune. Il n'a plus d'autre existence que cette mauvaise fortune elle-même. Aux yeux d'autrui et à ses propres yeux, il est entièrement défini par sa relation avec le malheur. Quelque chose en lui qui voudrait bien exister est continuellement rejeté dans le néant, comme si l'on frappait à coups redoublés sur la tête d'un homme qui se noie. Il est, selon les cas, un pauvre, un réfugié, un nègre, un malade, un repris de justice, ou toute autre chose de ce genre. Les mauvais traitements et les bienfaits dont il est l'objet sont pareillement dirigés vers le malheur dont il est un exemplaire parmi beaucoup d'autres. Ainsi mauvais traitements et bienfaits ont la même efficacité pour le maintenir de force dans l'anonymat et sont deux formes de la même offense.

Celui qui en voyant un malheureux transporte en lui son être fait naître en lui par amour, au moins pour un moment, une existence indépendante du malheur. Car bien que le malheur soit l'occasion de cette opération surnaturelle, il n'en est pas la cause. La cause est l'identité des êtres humains à travers toutes les distances apparentes que met entre eux le hasard de la fortune.

Transporter son être dans un malheureux, c'est assumer son malheur pour un moment, prendre volontairement ce dont l'essence même consiste à être imposé par contrainte et contre la volonté. C'est là une impossibilité. Le Christ seul l'a fait. Le Christ seul peut le faire, et les hommes dont le Christ occupe toute l'âme. Ceux-là, en transportant leur être propre dans le malheureux qu'ils secourent, mettent en lui, non pas réellement leur être propre, car ils n'en ont plus, mais le Christ lui-même.

L'aumône ainsi pratiquée est un sacrement, une opération surnaturelle par laquelle un homme habité par le Christ met réellement le Christ dans l'âme d'un malheureux. Le pain ainsi donné, s'il s'agit de pain, équivaut à une hostie. Ce n'est pas là un symbole ou une conjecture, mais une traduction littérale des paroles mêmes du Christ. Car il dit : « C'est à moi que vous l'avez fait. » Il est donc dans le malheureux affamé ou nu. Mais non pas par l'effet de la faim ou de la nudité, car le malheur par lui-même n'enferme aucun don d'en haut. Cela ne peut être que par l'opération du don. Que le Christ soit en celui qui donne d'une manière parfaitement pure, c'est évident ; qui donc pourrait être le bienfaiteur du Christ, sinon lui-même ? Il est d'ailleurs facile de comprendre que seule la présence du Christ dans une âme peut y mettre la vraie compassion. Mais l'Évangile nous révèle en plus que celui qui donne par véritable compassion donne le Christ lui-même. Le malheureux qui reçoit ce don miraculeux a le choix d'y consentir ou non.

Un malheureux, si le malheur est complet, est privé de tout rapport humain. Il n'y a pour lui que deux espèces de relations possibles avec les hommes, celles où il ne figure que comme une chose, qui sont aussi mécaniques que la relation entre deux gouttes d'eau voisines, et l'amour purement surnaturel. La région intermédiaire lui est interdite. Il n'y a place dans sa vie que pour l'eau et l'Esprit. Le malheur consenti, accepté, aimé, est vraiment un baptême.

C'est parce que le Christ est seul capable de compassion que pendant son séjour sur terre il n'en a pas obtenu. Étant en chair ici-bas, il n'habitait à l'intérieur de l'âme d'aucun de ceux qui l'entouraient ; dès lors nul ne pouvait avoir pitié de lui. La douleur l'a contraint à solliciter la compassion, et ses amis les plus proches la lui ont refusée. Ils l'ont laissé souffrir seul. Jean lui-même a dormi. Pierre avait été capable de marcher sur les eaux, mais il n'était pas capable d'avoir pitié de son maître tombé dans le malheur. Ils se sont réfugiés dans le sommeil pour ne plus le voir. Quand la Miséricorde elle-même devient malheur, où trouverait-elle du secours ? Il aurait fallu un autre Christ pour avoir pitié du Christ malheureux. Au cours des siècles suivants la compassion pour le malheur du Christ a été un des signes de la sainteté.

L'opération surnaturelle de l'aumône, contrairement à celle, par exemple, de la communion, n'exige pas une complète connaissance. Car ceux que le Christ remercie répondent : « Seigneur, quand donc ?... » Ils ne savaient pas qui ils avaient nourri. Rien même n'indique, d'une manière générale, qu'ils aient eu aucune connaissance du Christ. Ils ont pu l'avoir ou non. L'important est qu'ils aient été justes. Dès lors le Christ en eux s'est donné lui-même sous forme d'aumône. Heureux les mendiants, puisqu'il y a possibilité pour eux de recevoir peut-être une fois ou deux en leur vie une telle aumône.

Le malheur est vraiment au centre du christianisme. L'accomplissement de l'unique et double commandement « Aime Dieu », « Aime ton prochain », passe par le malheur. Car quant au premier, le Christ a dit : « Nul ne va au Père sinon par moi. » Il a dit aussi : « Comme Moïse a élevé le serpent dans le désert, de même il faut que le fils de l'homme soit élevé, afin que quiconque croit en lui possède la vie éternelle. » Le serpent est ce serpent d'airain qu'il suffisait de regarder pour être préservé des effets du venin. On ne peut donc aimer Dieu qu'en regardant la Croix. Et quant au prochain, le Christ a dit qui est le prochain envers qui l'amour est commandé. C'est ce corps nu, sanglant et évanoui qu'on aperçoit gisant sur la route. C'est d'abord le malheur qu'il nous est commandé d'aimer, le malheur de l'homme, le malheur de Dieu.

On reproche souvent au christianisme une complaisance morbide à l'égard de la souffrance, de la douleur. C'est une erreur. Dans le christianisme, il ne s'agit pas de la douleur et de la souffrance, qui sont des sensations, des états d'âme, où il est toujours possible de chercher une volupté perverse. Il s'agit de bien autre chose. Il s'agit du malheur. Le malheur n'est pas un état d'âme. C'est une pulvérisation de l'âme par la brutalité mécanique des circonstances. La transmutation d'un homme à ses propres yeux, de l'état humain à l'état d'un ver à demi écrasé qui s'agite sur le sol, n'est pas une opération où même un perverti puisse se complaire. Un sage, un héros, un saint non plus ne s'y complaisent pas. Le malheur est ce qui s'impose à un homme bien malgré lui. Il a pour essence et pour définition cette horreur, cette révolte de tout l'être chez celui dont il s'empare. C'est à cela même qu'il faut consentir par la vertu de l'amour surnaturel.

Consentir à l'existence de l'univers, c'est notre fonction ici-bas. Il ne suffit pas à Dieu de trouver sa création bonne. Il veut encore qu'elle-même se trouve bonne. À cela servent les âmes attachées à de minuscules fragments de ce monde. Telle est la destination du malheur, de nous permettre de penser que la création de Dieu est bonne. Car tant que les circonstances se jouent autour de nous en laissant notre être à peu près intact, ou seulement à demi entamé, nous croyons plus ou moins que notre volonté a créé le monde et le gouverne. Le malheur nous apprend tout d'un coup, à notre très grande surprise, qu'il n'en est rien. Si alors nous louons, c'est vraiment la création de Dieu que nous louons. Et où est la difficulté ? Nous savons bien que notre malheur ne diminue aucunement la gloire divine. Il ne nous empêche donc aucunement de bénir Dieu à cause de sa grande gloire.

Ainsi le malheur est le signe le plus sûr que Dieu veut être aimé de nous ; c'est le témoignage le plus précieux de sa tendresse. C'est tout autre chose qu'un châtiment paternel. Il serait plus juste de le comparer aux querelles tendres par lesquelles de jeunes fiancés s'assurent de la profondeur de leur amour. On n'a pas le courage de regarder la face du malheur ; autrement, au bout de quelque temps, on verrait que c'est le visage de l'amour ; comme Marie-Madeleine s'est aperçue que celui qu'elle prenait pour un jardinier était quelqu'un d'autre.

Les chrétiens voyant la place centrale du malheur dans leur foi, devraient pressentir que le malheur est en un sens l'essence même de la création. Être des créatures, ce n'est pas nécessairement être malheureux, mais c'est nécessairement être exposé au malheur. L'incréé seul est indestructible. On demande pourquoi Dieu permet le malheur, on pourrait aussi bien demander pourquoi Dieu a créé. Cela, il est vrai, on peut bien se le demander. Pourquoi Dieu a-t-il créé ? Il semble tellement évident que Dieu est plus grand que Dieu et la création ensemble. Du moins cela semble évident si l'on pense Dieu comme être. Mais on ne doit pas le penser ainsi.

Dès qu'on pense Dieu comme amour on sent cette merveille de l'amour qui unit le Fils et le Père à la fois dans l'unité éternelle du Dieu unique et par-dessus la séparation de l'espace, du temps et de la Croix.

Dieu est amour et la nature est nécessité, mais cette nécessité, par l'obéissance, est un miroir de l'amour. De même Dieu est joie et la création est malheur, mais c'est un malheur resplendissant de la lumière de la joie. Le malheur enferme la vérité de notre condition. Ceux qui préfèrent apercevoir la vérité et mourir que vivre une existence longue et heureuse dans l'illusion verront seuls Dieu. Il faut vouloir aller vers la réalité ; alors, croyant trouver un cadavre, on rencontre un ange qui dit : « Il est ressuscité. »

La seule source de clarté assez lumineuse pour éclairer le malheur est la Croix du Christ. À n'importe quelle époque, dans n'importe quel pays, partout où il y a un malheur, la Croix du Christ en est la vérité. Tout homme qui aime la vérité au point de ne pas courir dans les profondeurs du mensonge pour fuir la face du malheur a part à la Croix du Christ, quelle que soit sa croyance. Si Dieu avait consenti à priver du Christ les hommes d'un pays et d'une époque déterminée, nous le reconnaîtrions à un signe certain, c'est que parmi eux il n'y aurait pas de malheur. Nous ne connaissons rien de pareil dans l'histoire. Partout où il y a le malheur, il y a la Croix, cachée, mais présente à quiconque choisit la vérité plutôt que le mensonge et l'amour plutôt que la haine. Le malheur sans la Croix, c'est l'enfer, et Dieu n'a pas mis l'enfer sur terre.

Réciproquement, les chrétiens si nombreux qui n'ont pas la force de reconnaître et d'adorer dans chaque malheur la Croix bienheureuse n'ont pas de part au Christ. Rien ne montre mieux la faiblesse de la foi que la facilité avec laquelle, même parmi les chrétiens, dès qu'on parle du malheur, on passe à côté du problème. Ce qu'on peut dire sur le péché originel, la volonté de Dieu, la Providence et ses plans mystérieux, que néanmoins on croit pouvoir essayer de deviner, les compensations futures de toute espèce dans ce monde et dans l'autre, tout cela ou bien dissimule la réalité du malheur ou bien reste sans efficacité. Le vrai malheur, une seule chose permet d'y consentir, c'est la contemplation de la Croix du Christ. Il n'y a rien d'autre. Cela suffit.

Une mère, une épouse, une fiancée, qui savent celui qu'elles aiment dans la détresse et ne peuvent ni le secourir ni le rejoindre voudraient au moins subir des souffrances équivalentes aux siennes pour être moins séparées de lui, pour être soulagées du fardeau si lourd de la compassion impuissante. Quiconque aime le Christ et se le représente sur la Croix doit éprouver un soulagement semblable dans l'atteinte du malheur.

En raison du lien essentiel entre la Croix et le malheur, un État n'a le droit de se séparer de toute religion que dans l'hypothèse absurde où il serait parvenu à supprimer le malheur. À plus forte raison n'en a-t-il pas le droit quand il fabrique lui-même des malheureux. La justice pénale coupée de toute espèce de lien avec Dieu a véritablement une couleur infernale. Non pas par les erreurs de jugement ou l'excès de sévérité, mais indépendamment de tout cela, en elle-même. Elle se salit au contact de toutes les souillures, et n'ayant rien pour les purifier elle devient elle-même si souillée que les pires criminels peuvent encore être dégradés par elle. Son contact est hideux pour quiconque a en soi quelque chose d'intègre et de sain ; ceux qui sont pourris trouvent même dans les peines qu'elle inflige une sorte de quiétude plus horrible encore. Rien n'est assez pur pour mettre de la pureté dans les lieux réservés aux crimes et aux peines sinon le Christ, lui qui fut un condamné de droit commun.

Mais comme c'est seulement la Croix qui est nécessaire aux États et non pas les complications du dogme, il est désastreux que la Croix et le dogme soient liés d'un lien si solide. Ce lien a enlevé le Christ à ses frères les criminels.

La notion de la nécessité comme matière commune de l'art, de la science et de toute espèce de travail est la porte par où le christianisme peut entrer dans la vie profane et la pénétrer de part en part. Car la Croix, c'est la nécessité elle-même mise en contact avec le plus bas et le plus haut de nous-mêmes, avec la sensibilité charnelle par l'évocation de la souffrance physique, avec l'amour surnaturel par la présence de Dieu. Par suite toute la variété des contacts que peuvent avoir avec la nécessité les parties intermédiaires de notre être y est impliquée.

Il n'y a, il ne peut y avoir, dans quelque domaine que ce soit, aucune activité humaine qui n'ait pour suprême et secrète vérité la Croix du Christ. Aucune ne peut être séparée de la Croix du Christ sans pourrir ou se dessécher comme un sarment coupé. Nous voyons cela se passer sous nos yeux, aujourd'hui, sans le comprendre, et nous nous demandons où gît notre mal. Les chrétiens comprennent moins encore que les autres, car, sachant que ces activités sont historiquement bien antérieures au Christ, ils ne peuvent se rendre compte que la foi chrétienne en est la sève.

Si nous comprenions que la foi chrétienne, sous des voiles qui en laissent passer la clarté, porte des fleurs et des fruits en tous les temps et tous les lieux où il se trouve des hommes qui n'ont pas la haine de la lumière, cette difficulté ne nous arrêterait pas.

Depuis l'aube des temps historiques, jamais, sauf pendant une certaine période de l'Empire romain, le Christ n'a été aussi absent que maintenant. Les anciens auraient jugé monstrueuse cette séparation de la religion et de la vie sociale que même la plupart des chrétiens aujourd'hui trouvent naturelle.

Il faut que le christianisme fasse partout couler sa sève dans la vie sociale ; mais il est fait néanmoins avant tout pour l'être seul. Le Père est dans le secret, et il n'y a pas de secret plus inviolable que le malheur.

Il y a une question qui n'a absolument aucune signification, et bien entendu aucune réponse, que normalement nous ne posons jamais mais que dans le malheur l'âme ne peut pas s'empêcher de crier sans cesse avec la monotone continuité d'un gémissement. Cette question c'est : pourquoi ? Pourquoi les choses sont-elles ainsi ? Le malheureux le demande naïvement aux hommes, aux choses, à Dieu, même s'il n'y croit pas, à n'importe quoi. Pourquoi faut-il précisément qu'il n'ait pas de quoi manger, ou qu'il soit épuisé de fatigue et de traitements brutaux, ou qu'il doive prochainement être fusillé, ou qu'il soit malade, ou qu'il soit en prison ? Si on lui explique les causes de la situation où il se trouve, ce

qui d'ailleurs est rarement possible à cause de
la complication des mécanismes qui intervien-
nent, ce ne sera pas pour lui une réponse. Car
sa question, pourquoi, ne signifie pas : par quelle
cause, mais : à quelle fin ? Et bien entendu on
ne peut pas lui indiquer de fins. À moins d'en
fabriquer de fictives, mais cette fabrication n'est
pas une bonne chose.

Le singulier, c'est que le malheur d'autrui, sauf
quelquefois, non pas toujours, celui d'êtres très
proches, ne provoque pas cette question. Tout
au plus on la pose une fois distraitement. Mais
celui qui entre dans le malheur, cette question
s'installe en lui et ne s'arrête plus de crier. Pourquoi. Pourquoi. Pourquoi. Le Christ lui-même l'a
posée. « Pourquoi m'as-tu abandonné ? »

Le pourquoi du malheureux ne comporte
aucune réponse, parce que nous vivons dans la
nécessité et non dans la finalité. S'il y avait de
la finalité dans ce monde, le lieu du bien ne serait
pas l'autre monde. Chaque fois que nous demandons la finalité au monde, il la refuse. Mais pour
savoir qu'il la refuse, il faut la demander.

C'est seulement le malheur qui nous oblige à
la demander, et aussi la beauté, car le beau nous
donne si vivement le sentiment de la présence
d'un bien que nous cherchons une fin sans jamais
en trouver. Le beau aussi nous oblige à nous
demander : pourquoi ? Pourquoi cela est-il beau ?

Mais rares sont ceux qui sont capables de prononcer en eux-mêmes ce pourquoi pendant plusieurs heures de suite. Le pourquoi du malheur
dure des heures, des jours, des années ; il ne cesse
que par épuisement.

Celui qui est capable non pas seulement de
crier, mais aussi d'écouter, entend la réponse.
Cette réponse, c'est le silence. C'est ce silence éternel que Vigny a reproché amèrement à Dieu ;
mais il n'avait pas le droit de dire quelle est la
réponse du juste à ce silence, car il n'était pas un
juste. Le juste aime. Celui qui est capable non seulement d'écouter mais aussi d'aimer entend ce
silence comme la parole de Dieu.

Les créatures parlent avec des sons. La parole
de Dieu est silence. La secrète parole d'amour de
Dieu ne peut pas être autre chose que le silence.
Le Christ est le silence de Dieu.

Il n'y a pas d'arbre comme la Croix, il n'y a
pas non plus d'harmonie comme le silence de
Dieu. Les Pythagoriciens saisissaient cette harmonie dans le silence sans fond qui entoure
éternellement les étoiles. La nécessité ici-bas
est la vibration du silence de Dieu.

Notre âme fait continuellement du bruit, mais
il est un point en elle qui est silence et que nous
n'entendons jamais. Quand le silence de Dieu
entre dans notre âme, la perce et vient rejoindre
ce silence qui est secrètement présent en nous,

alors désormais nous avons en Dieu notre trésor et notre cœur ; et l'espace s'ouvre devant nous comme un fruit qui se sépare en deux, car nous voyons l'univers d'un point situé hors de l'espace.

Il n'y a que deux voies possibles pour cette opération, à l'exclusion de toute autre. Il n'y a que deux pointes assez perçantes pour entrer ainsi dans notre âme, ce sont le malheur et la beauté.

On serait souvent tenté de pleurer des larmes de sang en pensant combien le malheur écrase de malheureux incapables d'en faire usage. Mais à considérer les choses froidement, ce n'est pas là un gaspillage plus pitoyable que celui de la beauté du monde. Combien de fois la clarté des étoiles, le bruit des vagues de la mer, le silence de l'heure qui précède l'aube viennent-ils vainement se proposer à l'attention des hommes ? Ne pas accorder d'attention à la beauté du monde est peut-être un crime d'ingratitude si grand qu'il mérite le châtiment du malheur. Certes il ne le reçoit pas toujours ; mais en ce cas il est puni par le châtiment d'une vie médiocre, et en quoi une vie médiocre est-elle préférable au malheur ? D'ailleurs, même en cas de grande infortune, la vie de tels êtres est probablement toujours médiocre. Autant qu'on peut faire des conjectures sur la sensibilité, il semble que le mal qui est dans un être lui soit une protection contre le mal qui vient l'assaillir du dehors sous

forme de douleur. Il faut espérer qu'il en est
ainsi, et que Dieu a réduit miséricordieusement
à peu de chose, chez le mauvais larron, une
souffrance tellement inutile. Il en est bien ainsi,
et même c'est là la grande tentation qu'enferme
le malheur, du fait que le malheureux a toujours
la possibilité de souffrir moins en consentant à
devenir mauvais.

C'est seulement pour celui qui a connu la
joie pure, ne fût-ce qu'une minute, et par suite la
saveur de la beauté du monde, car c'est la même
chose, c'est pour celui-là seul que le malheur est
quelque chose de déchirant. En même temps
c'est celui-là seul qui n'a pas mérité ce châtiment. Mais aussi pour lui ce n'est pas un châtiment, c'est Dieu même qui lui prend la main et
la serre un peu fort. Car s'il reste fidèle, tout au
fond de ses propres cris il trouvera la perle du
silence de Dieu.

Composition Nord Compo
Impression Novoprint
à Barcelone, le 18 octobre 2021
Dépôt légal : octobre 2021
1ᵉʳ dépôt légal : septembre 2017

ISBN 978-2-07-273431-1./Imprimé en Espagne.